Biblioteca della tradizione classica
Centro interuniversitario di ricerca di studi sulla tradizione
Università degli Studi di Bari Aldo Moro
Università degli Studi della Repubblica di San Marino
Università degli Studi di Padova
Università degli Studi di Trento

————————————— 22 —————————————

Direttori

Davide Canfora, Olimpia Imperio, Domenico Lassandro

D1217105

Comitato Scientifico

Stefano Bronzini (Bari), Grazia Distaso (Bari), Sabrina Ferrara (Tours), Maria Pilar García Ruiz (Pamplona), Margherita Losacco (Padova), Giorgio Otranto (Bari-San Marino), Domenico Ribatti (Bari), Francesco Stella (Siena-Arezzo), Paolo Viti (Lecce)

Redazione

Vanna Maraglino (Bari)

Carmelo Salemme

Contributi lucreziani

Cacucci Editore

Bari

© 2020 Cacucci Editore - Bari

Via Nicolai, 39 - 70122 Bari – Tel. 080/5214220

http://www.cacuccieditore.it   e-mail: info@cacucci.it

ISNB 978-88-6611-903-6

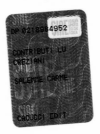

INDICE GENERALE

PREMESSA

Raccolgo in unico volume, in forma sostanzialmente immutata, alcuni miei contributi lucreziani. Qui di seguito i rinvii bibliografici:

- *Animali in guerra* = *Animali in guerra (Lucr. 5, 1308-1349)*, «Invigilata Lucernis» 31, 2009, 157-175.
- *Lucrezio, il tempo, la morte* = *Lucrezio, il tempo, la morte (3.1073-5)*, in Latinum est et legitur. *Prospettive, metodi, problemi dello studio dei testi latini*, a cura di Raffaele Perrelli e Paolo Mastandrea, Amsterdam, Hakkert 2011, 375-390.
- *Un passo tormentato del IV libro* = *Lucrezio 4.78-83. Testo e interpretazione*, in *Il miglior fabbro. Studi offerti a Giovanni Polara*, a cura di Arturo De Vivo e Raffaele Perrelli, Amsterdam, Hakkert 2014, 17-28.
- *La conclusione dell'opera* = *Lucrezio e la conclusione dell'opera*, «Bollettino di studi latini» 46, 2016, 10-25
- *La mortalità del mondo* = *Lucrezio e la mortalità del mondo (5, 235-415): tra rappresentazione e ridescrizione*, «Bollettino di studi latini» 47, 2017, 29-43.
- *Un enigma lucreziano* = *Un enigma lucreziano (Nota a VI 550)*, «Res publica litterarum» 41, 2018, 164-171.
- *Dal caso alla necessità* = *Dal caso alla necessità: Lucr. 2.1067-76*, in Verborum violis multicoloribus. *Studi in onore di Giovanni Cupaiuolo*, a cura di Silvia Condorelli e Marco Onorato, Napoli, Loffredo 2019, 507-525.

Ringrazio il dott. Fabrizio Feraco per la sua preziosa collaborazione nella preparazione di questo volume.

ANIMALI IN GUERRA

Non so se Costa[1] abbia esagerato nel definire i vv. 1308-1349 «probably the most notorious passage in the whole poem»[2], ma credo si possa affermare senz'altro che è il brano, nel *De rerum natura*, ove maggiormente l'interpretazione generale è collegata con una, talora assai ardua, esegesi testuale.

Il passo si inserisce nella storia della civiltà umana. Lucrezio ha appena parlato dell'impiego dei metalli che, prima di bronzo, poi di ferro, vennero utilizzati per forgiare armi. La tecnica bellica – afferma il poeta – si perfezionò con l'uso dei cavalli, delle bighe e delle quadrighe, dei carri falcati e, sull'esempio dei Cartaginesi, degli elefanti (vv. 1241-1307). Ed ecco i nostri versi (1308-1349):

> Temptarunt etiam tauros in moenere belli
> expertique sues saevos sunt mittere in hostis.
> Et validos partim prae se misere leones   1310
> cum doctoribus armatis saevisque magistris
> qui moderarier his possent vinclisque tenere,
> nequiquam, quoniam permixta caede calentes
> turbabant saevi nullo discrimine turmas,
> terrificas capitum quatientes undique cristas,   1315
> nec poterant equites fremitu perterrita equorum
> pectora mulcere et frenis convertere in hostis.
> Inritata leae iaciebant corpora saltu
> undique et adversum venientibus ora patebant
> et nec opinantis a tergo deripiebant   1320
> deplexaeque dabant in terram volnere victos,

---

[1]   Costa 1984, 142.

[2]   Ma, relativamente ai vv. 1341-1349, pure Barwick 1943, 225 ritiene che siano i più difficili e discussi del poema.

morsibus adfixae validis atque unguibus uncis.
Iactabantque suos tauri pedibusque terebant
et latera ac ventris hauribant subter equorum
cornibus et terram minitanti mente ruebant.   1325
Et validis socios caedebant dentibus apri
tela infracta suo tinguentes sanguine saevi,
[in se fracta suo tinguentes sanguine tela]
permixtasque dabant equitum peditumque ruinas.
Nam transversa feros exibant dentis adactus   1330
iumenta aut pedibus ventos erecta petebant,
nequiquam, quoniam ab nervis succisa videres
concidere atque gravi terram consternere casu.
Siquos ante domi domitos satis esse putabant,
effervescere cernebant in rebus agundis   1335
volneribus clamore fuga terrore tumultu,
nec poterant ullam partem reducere eorum;
diffugiebat enim varium genus omne ferarum;
ut nunc saepe boves Lucae ferro male †mactae†
diffugiunt, fera facta suis cum multa dedere.   1340
Sic fuit ut facerent. Sed vix adducor ut ante
non quierint animo praesentire atque videre,
quam commune malum fieret foedumque, futurum;
et magis id possis factum contendere in omni,
in variis mundis varia ratione creatis,   1345
quam certo atque uno terrarum quolibet orbi.
Sed facere id non tam vincendi spe voluerunt,
quam dare quod gemerent hostes, ipsique perire,
qui numero diffidebant armisque vacabant.

1319 petebant *cod. Victor.*   1328 *del. Marullus, om. Iunt.*   1330 adactus *Marullus*:
adauctus   1339 *cruces apposui*   1341-1349 *damn. Neumann*   1341 sic *Marullus*: si

«Provarono anche i tori nelle opere di guerra e tentarono di lanciare
feroci cinghiali contro i nemici. E altri mandarono avanti a sé possenti
leoni con domatori armati e crudeli maestri, che potessero controllarli
e trattenerli in catene, invano, giacché, infiammati dalla confusa strage,
inferociti, sconvolgevano senza alcuna distinzione le torme, scotendo
ovunque sul capo le terrificanti criniere, né i cavalieri riuscivano a cal-
mare il petto dei cavalli atterriti dai ruggiti e a rivolgerli con il freno
contro i nemici. Le leonesse lanciavano d'un balzo, da ogni parte, i

corpi eccitati, e le loro bocche restavano spalancate contro quelli che si movevano loro incontro e strappavano giù gli altri che sorprendevano alle spalle e, avvinghiandosi intorno strettamente, li rovesciavano a terra vinti dalle ferite, attaccate a loro con i morsi possenti e gli artigli adunchi. E i tori sbalzavano via da sé i loro conduttori e li schiacciavano con gli zoccoli, e trapassavano[3] dal di sotto con le corna i fianchi e il ventre dei cavalli, e sconvolgevano il terreno con foga minacciosa. E i cinghiali massacravano i loro con le zanne vigorose, tingendo inferociti con il proprio sangue i dardi in loro spezzati, e abbattevano cavalieri e fanti in una promiscua strage. I cavalli, gettandosi di lato, cercavano di scansare i feroci colpi delle zanne o, impennatisi, colpivano l'aria con gli zoccoli, invano, giacché li avresti visti stramazzare con i garretti recisi e coprire la terra con pesante caduta. Se prima gli uomini ritenevano alcune belve sufficientemente domate in tempo di pace, nel fervere della battaglia le vedevano accendersi per le ferite, il clamore, la fuga, il terrore, il tumulto, né riuscivano a ricondurne indietro alcuna parte; infatti tutte le varie specie di belve fuggivano disordinatamente: come ora spesso i buoi lucani, malamente... dal ferro, fuggono in varie direzioni, quando hanno arrecato molte atrocità ai loro. Proprio in tal modo fu che si comportassero. Ma a stento mi induco a credere che non abbiano potuto presentire e vedere con la mente, prima che accadesse, l'orribile male che a tutti sarebbe venuto; e meglio potresti sostenere che ciò sia avvenuto nell'intero universo, nei vari mondi in varia maniera creati, piuttosto che su una qualsiasi determinata e unica terra. Ma vollero far questo non tanto per la speranza di vincere, quanto per dare ai nemici di che piangere, e perire essi stessi, che non confidavano nel numero e mancavano di armi».

Nei vv. 1308-1340 è un ammasso intricato di strage e di sangue, ove forse ciò che più impressiona è il rivoltarsi delle belve contro i loro *magistri*. Seguono (vv. 1341-1349) le problematiche considerazioni di Lucrezio: se è vero che ciò sia avvenuto (testo tradito); ma è difficile credere che non avessero presagito l'esito nefasto del loro esperimento; ma forse è avvenuto in altri mondi; ma lo fecero non con la speranza di vincere, bensì per dare ai nemici motivo di dolore, a costo di morire essi stessi. In particolare, questi ultimi versi sono stati straziati da proposte di trasposizioni e atetesi. È necessario, previamente, esaminare i *loci*

---

[3]   Primo esempio di *haurio* = *perfodio*: cfr. Pianezzola 1975, 317.

critici del brano, operazione indispensabile per l'interpretazione generale, ma anche per dar ragione del mio testo.

v. 1315: *cristas* ha creato non pochi problemi, al punto che Faber, Lachmann e Bernays[4] hanno espunto il verso come interpolato proprio a causa del vocabolo. È noto che non con *cristae* si rende in latino la criniera del leone (né il *ThlL* [IV 1209, 34 ss.] contempla alcuna eccezione in merito). Dei seguaci di Cibele, in 2, 632, vien detto *terrificas capitum quatientes numine cristas*, ove è evidente che si tratta di 'pennacchi' in vario modo adattati al capo. A fil di logica appare formulato, dunque, il rilievo di Faber (*ad loc.*): «neque enim facile crediderim cristas capitibus leonum annexas»[5]. Ora, c'è un luogo di Livio (37, 40, 4) ove si parla di *cristae*, pennacchi o qualcosa di simile, applicate al capo degli elefanti: *ingentes ipsi [elephanti] erant; addebant speciem frontalia et cristae et a tergo impositae turres*. Sulla base di questo passo, Housman[6] propone di porre il verso dopo il 1304, ove si parla, appunto, di elefanti, dal momento che a questi, e non ai leoni, ben si adatta il termine *cristae*. È tuttavia un dato che quasi tutte le edizioni conservano il verso al suo posto, con *cristas* inteso come «crinières» (Ernout), «manes» (Bailey), «criniere» (Giancotti)[7]. È l'interpretazione del vecchio Wakefield[8]: «villosas iubas, hirsutasque; eleganter et magnifice». Il verso è conservato da Merrill[9] per motivi di simmetria: i passi introdotti da *nequiquam* (qui a v. 1313) constano di norma di cinque versi. La motivazione è accolta da Bailey[10] che, a ulteriore sostegno, aggiunge che il cambiamento di *numine* (del citato 2, 632) con *undique* costituisce indizio di autenticità. Prove alquanto deboli, a dire il vero, tanto più che consistente smentita si trova proprio in Lucrezio che – come s'è visto – aveva adoperato *cristae* nel senso di pennacchi. Eppure son convinto che qui *cristae* equivalga a *iuba*, ma non per arbitraria, e illecita, trasposizione nostra di significato. Si tratta, a mio avviso, di un'arditezza linguistica lucreziana. Gli uomini, in certe circostanze, come quelle religiose del II libro, possono munirsi di *cristae*; agli elefanti, per intensificarne l'effetto visivo, possono applicarsi *cristae*. I leoni sono spaventosi al solo aspetto; non hanno bisogno di *cristae*, pennacchi o simili che li rendano ancora più terrificanti perché ne possiedono di proprie per natura. La *crista* del leone non può che essere la sua

---

4   Cfr. l'edizione di Faber 1662, il Commentario di Lachmann 1855[2], 343 e l'edizione di Bernays 1852.

5   Conforta pienamente questa tesi Müller 1959, 84.

6   Housman 1897, 242-243.

7   Cfr. Ernout 1962 I, 98; Bailey 1947 I, 501; Giancotti 2006[6], 331.

8   Wakefield 1813 III, 211.

9   Merrill 1907, 725.

10   Bailey 1947 III, 1531.

naturale criniera (cfr. Catull. 63, 83 ...*quate iubam* [del leone]; Sen. *Oed.* 920 ...*concutiens iubam* [sc. *leo*]). A ciò si aggiunga il riscontro con il pur tardo Mart. Cap. 2, 197 (*nunc draconis facies nunc rictus leonis nunc cristae cum aprugnis dentibus*) individuato da Meurig Davies[11].

v. 1319: Martin, nella sua edizione[12], è l'unico, a quanto mi risulta, a conservare *patebant* di OQ, laddove gli altri editori accolgono senz'altro *petebant* del *codex Victorianus* (= *Monacensis 816 a*). Martin cita a sostegno alcuni luoghi che non riporto, dal momento che l'onere della prova, a rigore, non compete a chi difenda un testo validamente tradito. Con *petebant*, qualora non si voglia tradurre con grande libertà, il verso risulta, a mio parere, contorto: le leonesse s'avventano ai volti *adversum venientibus* (pare che i volti siano distinti, in qualche modo, da quanti si facessero loro incontro). Non credo proprio ci siano gli estremi per respingere la lezione di OQ: *ora* è soggetto («e le loro bocche restavano spalancate contro quelli che si movevano incontro a esse»). Invito chi dovesse obiettare che c'è cambio di soggetto, a rileggere i versi, per rendersi conto che si tratta di difficoltà di nessun momento.

v. 1321: *deplexae* è ottimamente illustrato dal Turnebus[13]: «de eis pendentes eisque implicitae» («circumvolutae» glossa il *ThlL* V 1, 574, 12-13). Del tutto inutile *complexae* di Postgate[14].

v. 1325: la congettura *fronte* del Lachmann[15] ha avuto notevole fortuna (Bernays, Brieger, Munro, Giussani), ma non oso toccare *mente* dei codici (nonostante il richiamo a Ov. *am.* 3, 13, 15 *et vituli nondum metuenda fronte minaces*), lezione ottimamente difesa dal linguista Ernout[16]. Inutile commentare *mento*, proposta da Merrill[17]: «Of course *mento* means the whole face and not merely the chin» [?!] e da lui introdotta nell'edizione del 1917.

vv. 1327-1328: effettivamente «horum versuum utrumque cum altero coniunctum probare sana mente nemo potest»[18]. E tuttavia Munro[19] vi ha voluto ravvisare una epanalessi con il sostegno di 5, 1189-1190 (ma è tutt'altra cosa!) e di Catull. 62, 21-22 (ma è tutt'altro registro!)[20]. È vero che Lucrezio

---

11   Meurig Davies 1949, 75.
12   Martin 1963⁵.
13   Le note del Turnebus (Adrien Turnèbe) sono in Lambinus 1570³.
14   Postgate 1895, 142.
15   Lachmann 1855², 344.
16   In Ernout – Robin 1962² III, 176.
17   Merrill 1916, 105.
18   Cfr. Lachmann 1855², 344.
19   Munro 1886⁴, 347.
20   Vana difesa dell'epanalessi in Maguinness 1965, 71. Il Lambinus espungeva il v. 1328 nella sua prima edizione (1563-1564), il 1327 nelle due edizioni successive: 1565 e 1570.

ama le ripetizioni, ma non gli si possono imputare orrori simili[21]. Ora, al di là delle preferenze di Lenz per il v. 1328[22], al di là della sostanziale equipollenza dei due versi asserita da Ernout[23], a favore del v. 1327 c'è un'indubbia ripresa virgiliana, già rilevata da Bentley[24], in *Aen.* 10, 731 *...infractaque tela cruentat*. *Infracta* dell'*Eneide* doveva apparire di interpretazione difficile anche per i commentatori antichi, dal momento che Servio interpreta: *aut valde fracta: aut re vera infracta*; insomma, Servio tra l'intendere la lancia "spezzata" o, al contrario, "non spezzata", come interpreta Tiberio Claudio Donato[25]. Ora, il luogo virgiliano viene reso perspicuo dal confronto con il v. 1327 di Lucrezio: cfr. *ThlL* VII 1, 1493, 7-8. Diels intende il v. 1328 come variazione del verso precedente fatta dallo stesso Lucrezio[26]: *in se fracta* appare come illustrazione del difficile *infracta*. Aderisce alla tesi di Diels pure Büchner, il quale si domanda[27]: «quis, si verbum difficile *infracta* illustrare voluisset, faceret versum?». Ma non è proprio questa l'origine frequente dei versi interpolati? Piuttosto, è altamente verisimile che, di fronte a un termine oggetto di discussa esegesi sin dall'antichità, un lettore 'grammatico' abbia inteso, coniando il v. 1328, eliminare ogni dubbio per il lettore di Lucrezio, 'spiegando', appunto, l'ambiguo *infracta* con l'esplicito *in se fracta*[28]. Assai più involuta la posizione di Giussani[29]: i due versi sono fuori posto, che sarebbe dopo 2, 631, e son capitati qui in un modo che lascio da individuare al lettore volonteroso rimandandolo alla nota di Giussani. Che gli *apri* fossero feriti è idea goffa e superflua per Giussani: «ché c'è egli bisogno di dire che le armi ond'eran feriti si tingevano del sangue l o r o?... i due versi, o qualunque dei due, devono riferirsi a chi tinga le *proprie* armi del proprio sangue [è il contesto del libro II quello cui il G. allude], e *volontariamente*, come indica il *saevi*: una condizione che giustifica pienamente la epanalessi [ancora!]». In realtà, *saevi* sta benissimo dove si trova, anche se forse lecitamente ci si possa porre la domanda (un po' ingenua, magari) del perché fossero *saevi* dei cinghiali che straziavano i loro *magistri* con le zanne e che, per di più, colavano sangue.

---

[21]   E tuttavia Giri 1902, 231-234 mostra di condividere appieno l'ipotesi di Munro.

[22]   Lenz 1937, 21.

[23]   In Ernout – Robin 1962², 177.

[24]   I contributi di Richard Bentley sono in Wakefield 1813 IV, 407-468.

[25]   Rimando a Conington – Nettleship 1883³ III, 301. Non si spreca, nel suo commento, Harrison 1991, 247.

[26]   Diels 1923, 23; cfr., in app. al v. 1328: «prioris versus variatio fortasse ipsius poetae est»; l'ipotesi non è da escludere per Giancotti 2006⁶, 547.

[27]   Büchner 1966, in apparato.

[28]   Così Schmid 1938, 343-344.

[29]   Giussani 1959³, 154-155.

Non si è mai visto un animale ferito diventare più feroce ancora? Quanto più i dardi si conficcavano nella non tenue pelle dei cinghiali (e proprio per la non tenue pelle si spezzavano), tanto più le bestie si inferocivano e infierivano.

v. 1332: una inutile sottigliezza di Housman[30] che riporto appena: *ab nervis* non va bene, perché gli animali hanno nervi in ogni parte del corpo, e dunque è necessario scrivere *a pernis*; ma già Munro[31]: «*ab nervis* = a parte nervorum, where the tendons were», con ottimi luoghi a sostegno.

vv. 1339-1340: *mactae* è termine molto emendato, e tuttavia presente, se non erro, in quasi tutte le edizioni moderne. La traduzione che sostanzialmente si ripete è quella del Bailey: «even as now often the Lucanian kine cruelly mangled by the steel». Esiste un problema preliminare. Ritengo che Clausen[32] abbia con rigore dimostrato che *Lucae boves* sia originariamente maschile in latino; e tuttavia è indubbio che Varrone (*ling.* 7, 39) consideri femminile l'espressione. Si può lecitamente supporre che l' 'errore' di Varrone possa essere stato analogo a quello di Lucrezio, tanto più che i codici sono concordi nella forma in *-ae*. *Mactae* costituirebbe il participio di un arcaico **maco*, di cui *mactare* sarebbe frequentativo: così, ad esempio, Munro e Ernout[33]. Sul *ThlL* (VIII 24, 51-56) l'aggettivo *mactus* (2.) è preceduto da punto interrogativo; la voce è di Bulhart, ma la nota etimologica è di J. B. Hofmann: «a *mactatus* derivatione retrogada»; il significato proposto («ictus, percussus») è seguito da altro punto interrogativo; gli esempi riportati sono soltanto due, il nostro luogo lucreziano, ma significativamente accompagnato da una serie di congetture, e Acc. *trag.* 305, ove compare una forma di *macto*, variamente emendata (il *ThlL* riporta il tradito *macte*, ma in genere è accolto l'emendamento *mactem* di Buecheler; l'*OLD*, *s. v. mactus*[5], a proposito di *macte* in Accio, aggiunge: «si vera lectio»). Di un presunto *macit* in Liv. Andr. *carm. frg.* 20 M. – ove è *macerat* – non è assolutamente il caso di parlare. Tutt'altra cosa è *mactus* 1. nel *ThlL*, ibid., 23, 39 ss., «a **magere*». *Mactae*, in Lucrezio, non ha alcuna ragione valida per sussistere; è da porre tra croci. Che non abbia base alcuna è altresì confermato dalla necessità, avvertita da alcuni critici, di congetturare al suo posto altri termini. A cominciare da *tactae* di Bockemüller, con il sostegno di Albert[34], ma è assurdo pensare che elefanti si mettano a fuggire in varie direzioni semplicemente perché *ferro male tactae*: troppo poco! Veramente maldestra è la proposta *inactae* ("condotti dentro") di Diels[35]: il ferro non sarebbe quello, ostile e devastante, dei nemici, ma quello dei custodi degli

---

30   In Haber 1956, 387.

31   Munro 1886[4], 347.

32   Clausen 1991, 546.

33   Munro 1886[4], 347; Ernout in Ernout – Robin 1962[2] II, 177.

34   Bockemüller 1874 II, 197; Albert 1897, 252.

35   Diels 1921, 239, poi introdotta nel testo di Diels 1923.

elefanti che imperitamente avrebbero con un pungolo di ferro spinto le bestie entro le schiere avversarie[36]. Ancora di recente Butterfield[37] ha proposto *sectae*, congettura che come altre testimonia almeno le serie perplessità nei confronti di *mactae*. Credo si possa affermare solo che *ma-* di *mactae* può essere sorto per influenza di *ma-* di *male*. D'altra parte, se *mactus = mactatus*, allora elefanti malamente massacrati, trucidati, avrebbero veramente avuto un bel fuggire in varie direzioni (*diffugiunt*: cfr. *ThlL* V 1, 1106, 16-17: «in diversas partes fugere, aufugere, fugiendo se spargere»)[38]!

Al v. 1340 credo non sussistano dubbi per *facta* di OQ, specie dopo l'ottimo riscontro di Howard[39] (Ov. *met.* 3, 248 *non etiam sentire canum fera facta suorum*; cfr. *ThlL* VI 1, 128, 16-20), contro *fata* di O[1] difeso da Lachmann[40], seguito da Bernays, Brieger, Giussani. Oltre tutto, penso che *facta*, molto più di *fata*, ponga in risalto che le atrocità fossero *azioni* delle bestie.

vv. 1341-1343: una trasposizione che 'migliora' il testo (e che rischia di correggere l'autore) è quella di Lachmann[41]: sposta il v. 1343 dopo il 1341, con ottimo seguito (Bernays, Brieger, Bailey, Costa, da ultimo la Gale[42]). Il periodo è involuto, senza dubbio, ma si tratta di 'involuzione' tipicamente lucreziana[43], tanto più che *factum* di v. 1344 si oppone efficacemente a *futurum* di v. 1343[44].

vv. 1341-1343: i versi più problematici dell'intero brano. Passerò in essenziale rassegna le varie ipotesi (una discussione analitica non ci condurrebbe in alcun punto; per la soluzione da me prospettata cfr. *infra*). A proporre per primo l'atetesi dei vv. 1341-1349 è stato Neumann[45], atetesi pienamente accolta nell'edizione di Müller[46], e che ha trovato il suo più strenuo sostenitore in Deufert[47]. Lachmann[48] espunge i vv. 1344-1346 come opera di un

---

[36] L'ipotesi di Diels non deve essere poi apparsa molto strana, dal momento che è preferita da Smith in Leonard – Smith 1942, 755. Il grosso inconveniente, per Smith, è che a differenza di Diels conserva *mactae* che, in questo caso, varrebbe, con *male*, «"crudelmente" o "maldestramente" pungolati» [?].

[37] Butterfield 2008a, 187-188.

[38] Cfr. Diels 1921, 238 e Butterfield 2008a, 187.

[39] Cfr. Howard – Munro 1868, 136.

[40] Lachmann 1855[2], 344; ma *fata* era già correzione proposta dal Pius 1511.

[41] Lachmann 1855[2], 344.

[42] Gale 2009.

[43] Cfr. Merrill 1907, 726.

[44] Cfr. Büchner 1966, in apparato.

[45] Neumann 1875, 34-37 (cfr. pure Schmid 1938, 346-347 n. 20).

[46] Müller 1975.

[47] Deufert 1996, 267-274.

[48] Lachmann 1855[2], 344-345.

interpolator irrisor[49]. Munro espunge, come farà Ernout, i vv. 1341-1346[50]. Giussani[51], su cui si tornerà, ritiene i vv. 1341-1349 note marginali del poeta, introdotte nel testo dai suoi editori (opinione cui si mostra propenso Merrill[52]; cfr. Büchner che in apparato, oltre a ritenere il passo «locus totius carminis obscurissimus», rileva: «non enim hunc locum poetam non mutaturum fuisse credas»). Diels ritiene 1344-1346 versi destinati da Lucrezio per altro luogo e suppone una lacuna prima del v. 1341, che egli colma con un verso (che inserisce nel testo) che non è il caso di riportare[53]. Esemplare, in siffatto proliferare di espunzioni e trasposizioni, il testo mantenuto integro da M. F. Smith[54]. Il 'conservatore' Martin, nella sua edizione, traspone i vv. 1347-1349 dopo il 1340. A parte riporto la posizione di Housman[55]: i vv. 1341-1343 e 1347-1349 costituirebbero un commento sarcastico composto in margine dall' 'editore' di Lucrezio, Cicerone, il quale, ahimè!, dimenticò di eliminarlo quando diede il testo da trascrivere ai copisti; inoltre, i vv. 1344-1346 sono lucreziani, ma furono composti dal poeta per un altro luogo dell'opera[56].

v. 1349: nessun dubbio per *vacabant*. Per sola erudizione ricordo l'inconsistente *lababant* di Bockemüller[57] e il veramente difficile a comprendersi *ipsique perire, / qui numero diffidebant armisque, negabant* (*perire negabant* [?!]) di Diels[58] che, per colmare la misura, si inventa un nuovo verso (che mi guardo dal riportare) dopo il 1349[59]. Sull'apparente contrasto, sottolineato dal Bockemüller, tra *armisque vacabant* e *doctoribus armatis* di v. 1311, rimando a Schiesaro[60].

---

[49]   Lo seguono Bernays 1852 e Brieger 1894. Non a un *interpolator irrisor* pensa invece Schmid 1938, 346, ma a un *corrector* pedante, animato dalla buona volontà di difendere Lucrezio da eventuali obiezioni.

[50]   Cfr. Munro 1886⁴ I e Ernout 1962 I.

[51]   Giussani 1959³, 156-157.

[52]   Merrill 1907, 726.

[53]   Ampia discussione in Diels 1921, 239-242.

[54]   Cfr. Smith 1992.

[55]   Housman 1928.

[56]   Cfr., *contra*, Onians 1928 (ma non è che soddisfi granché).

[57]   Bockemüller 1874 II, 198.

[58]   Diels 1921, 242.

[59]   Nell'edizione, tuttavia, confina in apparato sia *negabant* sia il verso aggiunto. Incontenibile smania di coniare versi 'lucreziani' pure (ma non è il solo!) in Richter 1974, 120-121, che offre addirittura due alternative (a scelta del lettore) prima del v. 1340.

[60]   Schiesaro 1990, 167 n. 17.

Il brano è oggettivamente molto complesso, e la difficoltà dei problemi testuali grava sull'interpretazione generale. Di gran numero le proposte. Scarso aiuto offre una serie di contributi volti a ravvisare nel passo lucreziano opache simbologie[61]. Mi soffermerò su alcuni momenti della critica che mi appaiono maggiormente significativi (talora anche in senso negativo), prima ancora di proporre la mia lettura.

Un caso che direi emblematico e sconcertante, in quanto legato a uno studioso di indubbio valore, è quello di Vahlen[62], che ritiene che i vv. 1341-1346 siano da attribuire a un avversario simulato, contraddetto subito dal poeta nei vv. 1347-1349: ipotesi assurda, almeno strana per un filologo di grande calibro, che non ritengo abbia bisogno di venir confutata.

Non altrettanto disorientante, ma inaccettabile, la tesi di Giussani, già brevemente illustrata: Lucrezio, dopo aver composto i vv. 1308-1340, avrebbe in seguito riletto quanto da lui scritto e ne avrebbe con-

---

[61] Cfr. Saylor 1972 (il brano è «un commento metaforico sull'uomo per mezzo degli animali» [Saylor 310; tesi della ferocia delle bestie come metafora di quella umana fiaccamente ripresa da Salem 1997, 215-221]); De Grummond 1982 (in sostanza, le conclusioni di Saylor, con rilievo sull'uso di *saevus*, riferito nel brano a uomini e bestie); il farraginoso e inconcludente Segal 1998, 211-255; Shelton 1996 (l'impiego di animali che, per natura, occorrerebbe evitare rivela nell'uomo mancanza di comprensione dell'autentica natura del piacere epicureo). Chi vuole può leggere Bourne 1956 (il brano è «un onesto tentativo di restare fedele ai concetti fondamentali dell'epicureismo»: di qui un acrobatico collegamento con l'epistemologia di Epicuro) e Minadeo 1969, 131 n. 50 (Lucrezio suggerisce una lezione morale: il fulcro dell'intero brano resta la condanna di una tattica inutile e autodistruttiva; di sfuggita rilevo che per Minadeo [97] *creatis* di v. 1345 e *perire* di v. 1348 producono nientedimeno un 'ciclo' di costruzione e di dissoluzione). Per Perelli 1969, 307-309 il nostro brano costituirebbe l'esempio più caratteristico e coerente di episodio costruito con la "tecnica dell'incubo". Utilmente Feeney 1978 pone a confronto il nostro passo con altri relativi alla ferocia animale presenti nel poema: le belve, crudeli e incontrollabili creature, rappresentano l'inospitalità del nostro mondo, l'incarnazione dell'irrazionalità (ma che forse il mondo è stato fatto per gli uomini?). A parte è da considerare il pur degno studio di Rumpf 2003, 222 ss., che propone una lettura 'immanente' al poema contro la "didaktische Interpretation", una lettura al limite del soggettivismo che, per quanto concerne il nostro brano, non fa che complicarne ulteriormente l'esegesi. Perché sussiste in Rumpf una dicotomia, credo irrisolta, tra realtà atomica e mondo sensibile dei composti. Insomma, il coinvolgimento affettivo nella lettura del poema può comprometterne la corretta esegesi, possibile solo alla luce della rigorosa *ratio* epicurea.

[62] Vahlen 1907, 171.

18

siderato l'inverisimiglianza; allora, in margine e in fretta, avrebbe registrato il suo dubbio con l'aggiunta dei vv. 1341-1346; ancora dopo, avrebbe individuato una nuova soluzione del dubbio, del tutto indipendente dalla prima, e avrebbe aggiunto i vv. 1347-1349 «col pensiero di riordinar poi tutto». Si richiede, a questo punto, soltanto un consistente atto di fede. Riprenderò in seguito la nota di Giussani, ma del Giussani interprete della filosofia di Epicuro.

Più articolata, ma assai poco lineare, la posizione di Schrijvers[63]. Posto esemplare nella guerra con gli animali è da lui assegnato agli elefanti, al cui comportamento avrebbe assimilato quello delle altre belve (ed è affermazione che lascia perplessi). Inoltre «la sezione V 1308/1349 costituisce l'amplificazione di fatti di guerra reali e storici», ma «il lettore avverte la rappresentazione, così amplificata, piuttosto come una rappresentazione allegorica dei Disastri della Guerra che come la descrizione di un avvenimento storico»[64]. Fa dunque capolino l'interpretazione allegorica dell'episodio, cui non solo un lettore generico propende, ma lo stesso Schrijvers, a giudicare da quanto scrive nella pagina successiva[65]. Ritengo che un'interpretazione allegorica sia quanto di più lontano potesse occupare la mente di Lucrezio nella composizione di questi versi. E i problematici vv. 1341-1349? Semplice, per Schrijvers: Lucrezio non vuole correre il rischio, dopo aver descritto quanto ha descritto, di perdere la fiducia nei suoi lettori per ciò che concerne la scientificità del resto del poema; e allora «egli giustifica la sua descrizione amplificata e inverisimile facendo abilmente ricorso alla teoria epicurea sulla pluralità dei mondi»[66]. In sintesi, il passo è, per Schrijvers, un esempio di «science-fiction épicurienne». A questo punto, può paradossalmente (stando ai miei principi in fatto di critica del testo) essere nel giusto Deufert che, constatata l'assoluta incompatibilità (a suo avviso) dei vv. 1341-1349 con quanto precede, ne sostiene l'atetesi, che ritiene alternativa valida «contro tutti gli esperimenti di spiegazione psicologica dei nostri giorni»[67].

---

[63] Schrijvers 1970, 296 ss.
[64] Schrijvers 1970, 303.
[65] «Che i vv. 1308/1340 del canto V debbano essere considerati come una descrizione amplificata e allegorica dei Disastri della Guerra, risalta, a nostro parere...».
[66] Schrijvers 1970, 304.
[67] Deufert 1996, 274. Il Deufert postula un lettore che, non avendo compreso che i vv. 1308-1340 rientravano nella storia della civiltà delineata dal poeta epicureo,

Stimolanti si rivelano le pagine che Schiesaro[68] dedica al nostro passo. La conclusione cui perviene è che «la descrizione dei tentativi esperiti e degli errori commessi nella ricerca di tecniche belliche sofisticate riassume [una] visione possibilistica e non provvidenzialistica dell'incivilimento»[69]: il che è del tutto consentaneo ai dettami del Giardino. Purtroppo, Schiesaro non spiega i nevralgici vv. 1341-1349[70]. Piuttosto, è possibile applicare il πλεοναχὸς τρόπος agli eventi temporali? Per quelli relativi allo spazio non v'è alcun dubbio. Per Epicuro esistono gli atomi e il vuoto, laddove il tempo pur sussiste, ma non come sostanza, bensì come accidente di accidenti (*Tempus item per se non est*, afferma perentoriamente Lucrezio in 1, 459, ricalcando alla lettera il maestro: cfr. *Hdt.* 72-73). Il problema, a questo punto, è di natura epistemologica[71].

Non resta, ora, che discutere l'unico contributo che, al di là di ogni dissenso, ha affrontato in maniera compiuta questi versi spinosi, quello di Kenney[72]. Il nucleo centrale della sua tesi è che i vv. 1341-1349 hanno una loro intima coerenza. Lucrezio si è trovato davanti a una tradizione che in qualche modo gli è pervenuta e dice: «Se essi fecero come è stato riportato. Da parte mia con difficoltà posso immaginare che essi non avessero previsto le conseguenze del loro esperimento» (vv. 1341-1343). Poi (vv. 1344-1346) il poeta propone un'altra possibilità: «Si può piuttosto sostenere che ciò accadde in qualche altro mondo». E, finalmente (vv. 1347-1349): «No, essi si comportarono proprio così,

avrebbe aggiunto il suo ironico dubbio (i vv. 1344-1346 costituirebbero un rifacimento di 5, 526-529), seguito da una sua personale spiegazione (Deufert 270-274).

[68] Schiesaro 1990, 159-168.

[69] Schiesaro 1990, 168. Alla lontana, questa conclusione può rimandare a un rilievo di Asmis 1984, 58, piuttosto sfocato, tuttavia, relativo all'interpretazione del brano. Dopo aver notato che «ogni arte progredisce attraverso nuove applicazioni di concetti», la Asmis fa riferimento proprio al passo sull'uso degli animali in guerra, per concludere: «In tale prolifica successione di strategie militari, ogni nuova scoperta si sviluppò da una precedente mediante l'applicazione di concetti formati empiricamente. Come in tutte le altre arti, l'adattamento di concetti a una nuova situazione porta a nuove osservazioni, che possono poi ispirare ulteriori esperimenti».

[70] Ma volutamente, e con prospettiva ben delineata: cfr. Schiesaro 1990, 159.

[71] Dopo Schiesaro è intervenuto sull'episodio La Penna 1995 che, pur propendendo per la soluzione del Lachmann, affaccia un'altra ipotesi (47), «che 1344-1346 e 1347-1349 siano due redazioni diverse, date in momenti diversi, al dubbio espresso in 1341-1343».

[72] Kenney 1972.

per quanto improbabile possa apparire; ma la loro tattica era dettata dalla disperazione, piuttosto che dalla speranza di vittoria». Il tutto secondo un procedimento strutturato con cura: 1. problema; 2. improbabile soluzione; 3. soluzione razionale: 3+3+3 versi, cui è da aggiungere la corrispondenza *facerent* (v. 1341) ~ *factum* (v. 1344) ~ *facere* (v. 1347). E tuttavia Kenney si trova in difficoltà per quanto riguarda i vv. 1344-1346, la cui spiegazione in un primo momento differisce, per poi dichiarare di volerla evitare, specie davanti alla tesi di Bailey che vi vede riferito il principio dell'isonomia e quella di McKay che la confuta (cfr., al riguardo, *infra*). Per Kenney non è importante la dottrina contenuta in quei versi; importante è che Lucrezio la presenti al solo scopo di rigettarla quanto prima «as *too technical and far-fetched to be credible*»[73]. Insomma, Lucrezio direbbe che la guerra con gli animali è realmente avvenuta; essa è a stento credibile, al punto che si sarebbe tentati di ricorrere a una pur impossibile e intellettualoide spiegazione pur di motivarla: proprio il contrario della tesi di Schrijvers, che vedeva nei versi l'intento di Lucrezio di fornire un solido fondamento scientifico allo scopo di non perdere la fiducia dei lettori. Unica funzione dei vv. 1344-1346 è, per Kenney, quella di far risaltare al massimo la vera spiegazione, quella enunciata nei tre versi successivi. Di qui l'intenzione di mostrare che certi comportamenti umani non sono spiegabili alla luce di qualsiasi motivazione razionale, ma che solo la follia nata dalla disperazione può adeguatamente motivarli.

È indubbio che l'interpretazione di Kenney abbia una sua intima, apprezzabile coerenza. E tuttavia mi sembra che l'unità del discorso, da lui strettamente sostenuta (e, in precedenza, da altri critici malamente frantumata con atetesi e arbitrarie trasposizioni), non raggiunga una sua effettiva consistenza. Il punto debole della lettura di Kenney è l'aver sorvolato sulla spiegazione dei vv. 1344-1346, ridotti ad astruso preambolo, creato al solo scopo di preludere alla motivazione autentica.

Il Bailey[74] ha giudicato questo brano «the most astonishing paragraph in the poem», ed è giunto a non escludere la notizia geronimia-

---

[73] Kenney 1972, 22. Per Bailey 1947 III, 1530, con i vv. 1341-1349 Lucrezio avrebbe elaborato vari modi per tirarsi fuori dalle difficoltà create dall'inverisimiglianza della descrizione contenuta nei vv. 1308-1340. In particolare, per i versi più difficili, 1344-1346, «it is not impossible that Lucr. should have had recourse to the idea in some desperation at his previous fancy».

[74] Bailey 1947 III, 1529.

na sulla follia del poeta (e Bailey è notoriamente critico moderato e prudente). Ma già prima di lui il Postgate aveva definito il brano «una escrescenza fungosa», «il prodotto di una mente alienata»[75]. Non da meno, molti anni dopo, il Beye vi riscontrò i segni di «un'intelligenza febbricitante, pervertita e cancerosa»[76]. E, ancora nel 1985, Townend riteneva che l'ipotesi di un Lucrezio allucinato non era stata confutata in maniera soddisfacente[77]. Occorre che io dimostri qui la frequente predilezione di Lucrezio per le tinte estreme? Occorre ricordare certe intensificazioni macabre del poeta nell'episodio della peste nell'Attica rispetto al testo tucidideo? Si rilegga 5, 990-998, con quei corpi straziati, tombe viventi, rosi dalle belve. Sì, vi è palese una reminiscenza enniana (*ann.* 138), come almeno un ricordo di Ennio (*ann.* 472-473) è in 3, 642-656[78], un brano che è tutto un pullulare, a opera dei carri falcati, di arti recisi, di mani strappate dai corpi, di una gamba troncata con il piede che, da vicino, agita ancora le dita. Non ravviserei motivi di particolare meraviglia dinnanzi agli orrori descritti nell'episodio degli animali in guerra. Ma – si dirà – alle origini dell'episodio della peste c'è Tucidide; per altri brani alcuni spunti enniani possono aver suggestionato la fantasia di Lucrezio, oltre al fatto che, a proposito dei carri falcati, c'è un inequivocabile *memorant* (3, 642), segno che il poeta attingeva a dati traditi. Per 5, 1308-1340 c'è il vuoto. Ammettiamolo, senza annegare in rimandi astrusi e improbabili (per di più posteriori al poeta o concernenti altre civiltà)[79]. Al riguardo, impeccabile Kenney,

---

[75] Postgate 1926, 142.

[76] Beye 1963, 167.

[77] Townend 1985, 273-274.

[78] Cfr. Kenney 1981, 164.

[79] Cfr. Onians 1930 (ma l'impiego di belve come mascotte viventi di guerrieri o di armate è altra cosa rispetto alle infuriate belve lucreziane); West 1975 (che discute, non so con quanto fondamento, su Plut. *de Is.* 19); Meurig Davies 1949, 74, che riporta, come esempio di uso di belve in guerra, un testo tardo come Hist. Aug. *Carac.* 6, 4. Ora, tale segnalazione era già stata riportata nel commento di Merrill 1907, 724; anzi, Merrill 1906 avvertiva di aver già trovato il confronto «in adnotationibus editorum». Ma non è questo il punto. Riporto un suo rilievo che coglie nel segno: «Sed nullum auctorem vidi nominatum quem Lucretius secutus sit nullumque scriptorem antiquum indicatum qui usum ferarum in bello elephanthis exceptis descripserit. Quis scriptor antiquus sive Graecus sive Latinus sues tauros leones in hac re memoravit?». Posto che il rilievo di Merrill non comporta che Lucrezio si sia inventato tutto, credo che quanto da lui affermato dovrebbe bastare per chi è, a ogni costo, alla ricerca di sostegni storici che suffraghino la descrizione del poeta. Neanche Schrijvers

che non si meraviglia più di tanto per la mancanza di fonti[80]: è necessario forse ricordare lo stato estremamente lacunoso in cui ci sono pervenute le testimonianze antiche[81]? Possiamo affermare come altamente verisimile che una tradizione, a noi sconosciuta, sull'uso di animali in guerra, sia pervenuta a Lucrezio. Fondamentale è affermare che i versi che seguono (1341-1349) non si pongono in contrasto alcuno con quanto precede. Vien detto che Lucrezio metterebbe in dubbio, più o meno insanamente, quanto sopra descritto, o che i vv. 1341-1349 siano opera di un interpolatore. Eppure, gli indicativi dei vv. 1308-1340 sono indicativi – ripeto con Kenney[82]. Inoltre, la presunta espressione di dubbio (cfr. v. 1341 *Si fuit ut facerent*) viene subito 'compensata' da un nuovo indicativo (*adducor*) che, questa volta sì, serve a Lucrezio per esprimere una sua perplessità: possibile che quegli uomini non avessero previsto il disastroso esito del loro esperimento?

Per quanto concerne i vv. 1308-1340, avanzerei una proposta, sebbene con esitazione. Vi è un solo passo di Epicuro che nomini esplicitamente gli animali selvaggi: περὶ φύσεως 34, 25, 21-34 Arr.[2]: noi non biasimiamo le bestie selvatiche, perché in esse consideriamo un tutt'uno sia i moti psichici sia la costituzione atomica[83]:

1970, 297-304 (qua e là) e Smith 1992, 480-481 (n. a) si rivelano immuni da questa ricerca di puntelli storici, di cui, prima di Lucrezio, semplicemente non abbiamo documentazione alcuna. Al riguardo, lascia piuttosto perplessi che nel 'romanzo di Alessandro' il particolare del re Poro che avrebbe impiegato animali feroci in guerra (cfr. Iul. Val. 3, 6) possa aver sollecitato la fantasia lucreziana, in base all'ipotesi che alcune tradizioni del 'romanzo' potrebbero essere state diffuse nel I secolo a. C.: è quanto afferma Courtney 2006. Per Borle 1962, 170 Lucrezio si sarebbe ispirato a affreschi o a bassorilievi (per il ricorso alle arti figurative cfr. pure McKay 1964, 125 e Schiesaro 1990, 160-161; ma già Bailey 1947 III, 1529, a proposito di una pittura descritta da Diodoro Siculo 1, 48, 1). Utile, al riguardo, Brown 1992, 20.

[80]   Kenney 1972, 20.

[81]   Non è da escludere l'ipotesi di McKay 1964, 124-127, pur discutibile per diversi aspetti, che lo spettacolo delle *venationes* possa in certo qual modo aver contribuito a sollecitare la descrizione lucreziana. Sull'influenza delle *venationes*, che comunque non enfatizzerei, già Postgate 1926, 148-149.

[82]   Kenney 1972, 22.

[83]   «Per di più talora [all'atteggiamento dell'animo] muoviamo delle accuse: sotto forma di rimproveri e, invero, secondo una certa misura; e non facciamo come per le bestie selvagge, quando consideriamo una cosa sola i moti psichici e la costituzione atomica e scusiamo ugualmente sia l'una che gli altri. Non usiamo certo né del sistema di rimproverare né di correggere e nemmeno di esser troppo severi...» (le

...ἔτι μᾶλλον

ἐνίοτ[ε κ]ακίζομεν· ἐν νου-
θετή[σει, τ]ῶι μέντοι μᾶλλον
τρόπω[ι] καὶ οὐχ ὥσπερ
[τ]ὰ ἄγρια τῶν ζώιων, [καθ]αί-
ρομεν ὁμοίω[ς α]ὐ[τ]ὰ
τὰ ἀπογεγε[νν]ημέν[α κ]αὶ
τὴ[ν] σύστασ[ιν] ε[ἰ]ς ἕν [τ]ι συμ-
π[λ]έκοντες· [οὐ] μὴν ο[ὔ-]
[τε τῶ]ι νουθε[τητι]κ[ῶι τ]ρό-
[πωι] καὶ ἐπα[νορθ]ωτ[ικῶι οὔ-]
τε τῶι [ἄ-]
γα[ν] ἀ[παραιτη]τικῶι χ[ρ]ώ-
μ[εθ]α

Insomma, per Epicuro esiste una σύστασις, una costituzione originaria dell'anima, cui s'aggiungono gli ἀπογεγεννημένα, quasi "disposizioni acquisite" (cfr. Epic. περὶ φύσεως 34, 20-22, 24-27 Arr.²). Il termine ἀπογεγεννημένα è assai arduo, per di più nell'ambito di un libro che si rivela «forse il più difficile fra tutti i testi di E.»[84]; ma credo sia da accogliere la argomentata

---

traduzioni da Epicuro, se non indicato diversamente, saranno sempre da Arrighetti 1973², qui 345). Ma più preme che si colga il senso del passo nel suo contesto, che è così, limpidamente, delineato da Arrighetti 1973², 633: «per il fatto che talora i moti psichici hanno un principio causale che fa sì che essi si determinino nello stesso senso in cui inclina la costituzione atomica, non si possono considerare quei moti privi del principio di causalità per attribuirlo alla costituzione atomica e da quella far dipendere questi. Perché così si potesse fare bisognerebbe che la forza del principio causale proprio della costituzione atomica fosse di tale entità da soffocare sempre e necessariamente i moti psichici indipendenti. Ma ognuno sa che non è così, perché tutte le volte che si ammette un elemento di antagonismo fra i moti psichici e la costituzione atomica (r. 16 ss) si riafferma l'indipendenza dell'anima, e dei suoi atti e moti, dalla costituzione atomica. L'uomo non è come un animale nel quale la costituzione naturale fa tutt'uno con l'anima. Il senso di questi ultimi righi sarà da completare intendendo che E. parli degli esseri irrazionali, contro i quali è inutile infierire e infliggere punizioni in quanto la loro costituzione, l'unica responsabile delle loro azioni, non può essere modificata».

[84] Cfr. Arrighetti 1973², 626. Senza citare Arrighetti, Fowler 2002, 435 afferma di avere davanti a sé sei differenti testi e traduzioni (anglosassoni) del passo in questione (sono notevolmente di più; come avvertito, cito secondo Arr.², nonostante l'apprezzabile, ma per me eccessivamente innovativa edizione del XXV libro del περὶ φύσεως di Laursen 1995; 1997). In particolare, per la (troppo) tormentata interpreta-

definizione che ne dà Arrighetti: «tutte le reazioni, gli atteggiamenti, i moti, i modi di essere dell'anima e dell'intelligenza... sotto lo stimolo della realtà esterna»[85]. La conseguenza per noi più rilevante è che quel determinismo che con ogni cura Epicuro aveva escluso per l'anima umana è invece inevitabile per gli animali selvaggi. Sono così, e basta. Mai, in essi, proprio per il loro essere una cosa sola le due componenti anzidette, potrà mai generarsi una qualsiasi forma di *libera voluntas*.

Eppure Lucrezio, come esempio di *fatis avolsa voluntas* (2, 256), porta quello dei cavalli, la cui forza smaniosa, non appena si aprono i *carceres*, non può prorompere come la loro mente desidera (2, 263-265)[86]:

> Nonne vides etiam patefactis tempore puncto
> carceribus non posse tamen prorumpere equorum
> vim cupidam tam de subito quam mens avet ipsa?

Ma i cavalli non sono animali selvaggi: se non domestici, sono tuttavia addomesticabili. La Huby, pur in un articolo non privo di affermazioni discutibili[87], pone distinzione tra animali selvaggi e animali domestici o addomesticabili: questi ultimi avrebbero un certo grado di *libera voluntas*. La distinzione mi pare lecita, tanto più che Lucrezio attribuisce non solo agli uomini, ma *animantibus* (2, 256) la *libera voluntas*[88]. Ne consegue che questa è possibile negli animali domestici o addomesticabili, laddove è impensabile nelle bestie selvagge, condizionate deterministicamente[89].

---

zione di ἀπογεγεννημένα, rimando allo *status quaestionis* contenuto nella discussione di Masi 2005, 27-51.

[85]   Arrighetti 1973², 629. Ritengo corretta, nella sostanza, l'interpretazione che ne dà Rist 1978, 95: «gli effetti degli urti sulla struttura atomica originale».

[86]   «Il fatto che tra l'aprirsi dei cancelli e il prorompere dei cavalli passi un certo tempo, mostra che è nel cuore, nella *voluntas animi* che il moto ha il suo inizio» (Diano 1974, 222). A proposito di questo luogo lucreziano cfr. Englert 1987, 66 ss. (cautela).

[87]   Huby 1969.

[88]   Cfr. Fowler 2002, 345. È ovvio tuttavia che per gli animali, pur domestici, la *libera voluntas* non potrà mai tradursi in scelta etica.

[89]   Rilevanti notazioni sulla *voluntas* degli animali nel sistema epicureo in Cucchiarelli 1994, 99-102, cui è da aggiungere Fowler 2002, 346 n. 73 (nota dell'*editor*). Sfioriamo, qui, il più arduo problema dell'intero sistema epicureo, il rapporto tra *clinamen*, che è casuale, e volizione umana, che Epicuro vuole libera. Non è il caso, in questa sede, di illustrare una questione che ritengo insolubile, stando a quanto ci resta dell'opera del filosofo, sebbene studiosi di ogni rispetto si siano cimentati con risultati che si oppongono tra loro in maniera sconcertante. Mi limito, della poderosa bibliografia, a segnalare Kleve 1980; Asmis 1990; Annas 1993.

Nei vv. 1308-1340, nella furia bruta scatenata da tori, cinghiali, leoni e leonesse (confrontati per di più con gli elefanti coevi del poeta), *i soli cavalli* sembrano reagire in maniera che attesti, in essi, la presenza di una *voluntas* (vv. 1330-1333): si gettano volutamente di fianco per evitare le zannate, oppure, allo stesso scopo, s'impennano, anche se invano, in quanto sopraffatti dalla forza incontrollata degli altri animali (selvaggi). Non escluderei, allora, che la perplessità e la deprecazione di Lucrezio siano dettate dall'ignoranza anteepicurea di quegli uomini (*sed vix adducor ut...*) relativa al fatto che quelle bestie, a differenza dei cavalli, non potessero essere domate, in conformità con la precisazione di Epicuro. Il maestro, come s'è notato, affermava che in quelle bestie la costituzione originaria ricevuta sin dalla nascita e i nuovi moti acquisiti sono da considerare una cosa sola, e dunque non meritevoli di biasimo o di punizioni, proprio perché le bestie selvagge obbediscono a una forza cieca, imposta loro in maniera deterministica. Ma meritevoli di biasimo sono quegli uomini che hanno ignorato il carattere del tutto bruto di quel tipo di bestie.

Può ora essere opportuno, tornando ai vv. 1341-1349, soffermarsi un momento proprio sulla frase *si fuit ut facerent* (cfr. v. 1341), la cui inadeguata interpretazione ha avuto buona parte nella costituzione dell'enorme equivoco. Significativamente già Lachmann[90] confessava di non capire («Haec intellegere nullo modo possum»), e accettava *sic* del Marullo, seguito da Bernays e, molto dopo, da Büchner[91]. Ritengo che *sic*, leggerissimo emendamento, sia da accettare: «sì, fu proprio così che fecero»[92]. Non è possibile credere che dopo una descrizione con

[90]   Lachmann 1855², 344.
[91]   Büchner 1966, in app.: «poeta non dubitat, quin fecerint».
[92]   Debolissima l'obiezione di Diels 1921, 241 a Lachmann: *sic* è incomprensibile «denn das Subject könnten nach dem Vorhergehenden nur die Elephanten sein». Certamente, nei due versi che precedono, il soggetto è *boves Lucae*, ma chi sarà tanto ingenuo da dubitare che il soggetto di *facerent* non sia lo stesso di *temptarunt* di v. 1308 e di *quierint* del v. 1342, e cioè gli uomini primitivi? Eppure anche Barwick 1943, 226 è convinto che, se si lascia il testo così com'è, è inevitabile che soggetto di *facerent* non siano gli elefanti. Giusto, dunque, per Barwick, postulare prima del v. 1341 una lacuna, come fa Diels (cfr. *supra*), ma il verso escogitato da Diels non risponde ai requisiti richiesti, e pertanto Barwick 227 ne propone due suoi in sostituzione (ne rimando la lettura al lettore diligente). Successivamente Barwick 228-229 propone la sua interpretazione dei vv. 1341-1349: essi sono da spiegare secondo i modi dello stile diatribico; il poeta pone a se stesso un'obiezione (vv. 1341-1346), cui risponde con i vv. 1347-1349, che affermerebbero che anche nel nostro mondo è possibile ci sia stato quell'impiego di animali in guerra: gli uomini vi avrebbero fatto ricorso in un atto di disperazione, incuranti della propria rovina. Stile diatribico: si

il modo dell'oggettività spunti fuori un Lucrezio dubbioso su quanto ha affermato e minutamente descritto, per poi riprendere il discorso in maniera altrettanto oggettiva (*adducor*) per esprimere sì un dubbio, ma su una realtà data per scontata. E tuttavia conservare *si* non muterebbe, a mio avviso, nella sostanza le cose. Il poeta ha descritto un evento originato dall'insensata follia umana. Ebbene, conservando *si*, dinnanzi a quella serie di fatti terribili, il poeta resterebbe non dubbioso, ma interdetto. Parafrasando: hanno causato quelle brutture, certo; ma è mai possibile che siano arrivati a tanto? Stento a credere che non ne abbiano previsto le conseguenze nefaste.

I più difficili restano i vv. 1344-1346. Su di essi lo stesso Kenney glissa. Ma io non vi vedo l'enunciazione di una teoria astrusa allo scopo di creare un crescendo per rivelare alfine la vera motivazione. Non è una spiegazione fittizia che preluda a quella autentica. È vero che i vv. 1347-1349 sono intimamente collegati con i vv. 1341-1343: stento a credere che non abbiano previsto quegli orrori, ma l'han fatto non tanto con la speranza di riuscire vittoriosi, quanto per dare motivo di strazio ai nemici, al punto da esser pronti alla morte pur di raggiungere quello scopo perverso, in un atto tanto più disperato in quanto difettavano di uomini e di armi. A questo punto, quale funzione hanno i vv. 1344-1346 intercalati nel discorso, con la loro prospettiva cosmica che pare del tutto aliena dal contesto? L'intero complesso dei vv. 1341-1349 è stato ritenuto sommamente incoerente. E questo è vero. Almeno secondo il nostro modo di sistemare i concetti. Ma si rivelano oltremodo coerenti secondo il modo di argomentare tipico di Lucrezio. I vv. 1344-1346 hanno funzione del tutto identica a quella di innumerevoli versi del poema, funzione che si rivela una delle marche più vistose di un peculiarissimo *usus scribendi*: i vv. 1344-1346 costituiscono una *suspension of thought*, dopo di che Lucrezio riprenderà linearmente il suo discorso. Occorre ancora ribadire che uno dei tratti dominanti della maniera compositiva lucreziana è proprio quella di sospendere un ragionamento, di operare una deviazione (talora anche di consistente estensione) per poi tornare al tema principale[93]?

Solo che qui la 'deviazione' non è costituita da una teoria astrusa. Nei vv. 1344-1346 è contenuta una delle prospettive che sono a

---

resta perplessi nel constatare come filologi di ogni riguardo siano venuti meno nell'interpretazione di questo passo.

[93]   Si rilegga, se necessario, almeno il primo capitolo di Büchner 1936, 5-38.

fondamento del mondo culturale e poetico di Lucrezio. È necessario però, prima di ogni cosa, intenderli in maniera esatta, cominciando con l'escludere la presenza in essi del principio dell'isonomia, ravvisato da Bailey[94]. McKay[95] si è, direi, logorato nell'affermarne l'assenza, in contrasto con Bailey[96]. Dire che nei tre versi sia presente il principio dell'isonomia equivale a avere le traveggole. Piuttosto, occorre avvertire che i versi in questione sono stati interpretati nel senso che Lucrezio, nel respingere la possibilità che gli eventi descritti si sian mai verificati, ricorre all'ipotesi che possano sì essere avvenuti, ma in un mondo diverso dal nostro[97]. Ma come è possibile se subito dopo Lucrezio avanza un'ipotesi sul perché quegli eventi *siano avvenuti* proprio su questa terra?

È il caso di segnalare un meditato rilievo di Giussani[98]: «Il pensiero in sostanza è: Poiché *la cosa è fra le possibili* [qui, come appresso, il corsivo è mio], non è fra le ripugnanti alle leggi fondamentali (come sarebbe p. es. un animale che vomiti fiamma), *il sistema richiede che la cosa anche effettivamente avvenga; ma non richiede che proprio av-*

---

[94] Bailey 1947 III, 1529. Anche Gale 2009, 207 si rivela propensa a ravvisarvi un richiamo all'isonomia, anche se subito dopo afferma che lo «scopo principale dei vv. 1341-1346 sembra quello di porre in risalto la quasi incredibile vanità della guerra e delle orrende conclusioni cui gli esseri umani hanno in animo di giungere solo al fine di nuocere ai loro nemici». Alquanto generica, ancora, è l'interpretazione dell'intero passo (Gale 206), «che sarebbe forse da interpretare alla stregua di una descrizione ipotetica di ciò che sarebbe avvenuto (e *forse* avvenne) se i tentativi per addestrare gli animali elencati nei vv. 1297-1304 fossero condotti alle loro logiche estreme conseguenze».

[95] McKay 1964, 127-128.

[96] Stupisce tuttavia McKay (127-128) quando afferma che unica esplicita fonte della teoria isonomica è in Cic. *nat. deor.* 1, 50: o che non ha mai letto l'eccezionale Lucr. 2, 569-580? Al termine del suo contributo McKay (135), per motivare le difficoltà del brano, si rifà alla mancata ultima revisione del poema, cui d'altronde si appella gran parte degli studiosi (cfr. pure, ad esempio, Townend 1979, 110 e Giancotti 2006[6], 546), anche se, per il nostro brano, non ritengo che una considerazione di tal fatta possa avere efficacia alcuna.

[97] Come, per limitarci a qualche esempio, Büchner 1966, in app.: «et fortasse itaque credas non in nostro mundo factum esse, etsi in quovis alio mundo fieri potuisse»; West 1994[2], 20 che, tuttavia, prende netta posizione contro la supposta insania mentale di Lucrezio; lo stesso Kenney 1972, 22, che interpreta: «One might rather contend that this happened in some other worlds»; Deufert 1996, 271: «Piuttosto si potrebbe ammettere che ciò sia avvenuto in un mondo del tutto diverso».

[98] Giussani 1959[3], 157.

venga in questo o in quel determinato mondo. Il concetto epicureo è dunque espresso con una formola precisa e rigorosa, che tradisce lo scrittore epicureo, dunque Lucrezio». Ho già accennato alla tesi generale di Giussani, dalla quale penso si debba dissentire. Ma questo giudizio coglie nel segno, almeno in parte (non è del tutto chiara l'espressione «in questo o quel determinato mondo»). Innanzi tutto, vi è affermato il carattere schiettamente lucreziano dei versi; in secondo luogo, il concetto viene inserito nella concezione cosmologica di Epicuro. Occorre però chiarire e correggere: quegli eventi possono avvenire *anche* in altri mondi oltre che nel *nostro* (né a ciò è di ostacolo *quolibet*; che cos'è mai il nostro mondo se non uno qualsiasi del cosmo infinito?). Non ci troviamo, allora, dinnanzi a un'idea astrusa, ma a un concetto che possiede una validità più che legittima nel sistema epicureo. Si può dunque affermare che Lucrezio, narrando e commentando eventi atroci realmente accaduti in questo nostro mondo, a un certo punto sospenda lo sviluppo lineare del pensiero affacciando una considerazione: bada che potresti lecitamente credere ancora più che ciò sia avvenuto nei vari mondi in varia maniera creati piuttosto che soltanto su una qualsiasi determinata e unica terra. Ma qual è questa qualsiasi determinata e unica terra? È chiaro che si tratta della nostra, dal momento che il poeta ha appena terminato di descrivere con ogni cura quegli elementi come effettivamente accaduti nel nostro mondo. È evidente che in tal modo l'interpretazione tradizionale viene ribaltata: non "quelle cose accaddero in un altro mondo e non nel nostro", bensì «oltre che nel nostro mondo, ove ti ho riferito che tali cose accaddero, possono accadere *pure* in altri mondi». In altri mondi costituiti da aggregazioni forse diverse (*varia ratione creatis*)[99], ma dove comunque esistano esseri pensanti che, considerata la loro follia, non possono non distruggere e distruggersi. Lucrezio, che invoca con insistenza la pace per i Romani, sembra qui proclamare, in forza di quella libertà umana assicurata dal sistema epicureo, l'inevitabilità della guerra, di fare e di farsi del male. A livello

---

[99] Il v. 1345 (*in variis mundis varia ratione creatis*) ha una sua significativa corrispondenza con 5, 528 (cfr. 5, 526 ss. *Nam quid in hoc mundo sit eorum ponere certum / difficile est; sed quid possit fiatque per omne / in variis mundis varia ratione creatis / id doceo...*). Sì, perché secondo la teoria atomistica epicurea ciò che si verifica in un mondo può non verificarsi in un altro, e questo per la varietà delle forme atomiche. Naturalmente ne consegue che ciò che si verifica in un mondo può verificarsi anche in altri, o in tutti gli altri mondi.

cosmico. Ché è qui l'essenza della concezione lucreziana: rapportare il particolare al tutto, alla *summa* generale dell'Essere. È il suo invito a spingere lo sguardo lontano perché ci si avveda che infinita è la somma delle cose, e che il nostro cielo non è che infinitesima parte del Tutto (6, 647-652):

> Hisce tibi in rebus latest alteque videndum
> et longe cunctas in partis dispiciendum,
> ut reminiscaris summam rerum esse profundam
> et videas caelum summai totius unum
> quam sit parvula pars et quam multesima constet
> nec tota pars, homo terrai quota totius unus.

Qualsiasi evento, per quanto smisurato e abnorme, sarà pressoché un nulla

> cum tamen omnia cum caelo terraque marique
> nil sint ad summam summai totius omne (6, 677-678).

Quando i Cartaginesi accorrevano da ogni parte, il mondo, scosso dal trepido tumulto della guerra, non tremò inorridito sotto le alte volte dell'etere (cfr. 3, 832-835)? Ora, l'inguaribile smania di distruggere può oltrepassare le alte volte dell'etere. Se per Hegel la guerra era l'anima della storia, per Lucrezio, che scrive in un periodo sciagurato per la patria, la guerra, nelle sue forme più atroci, sembra apparire un evento che, determinato dalla libera volontà umana garantita dal principio della deviazione atomica (volontà capace di conseguire l'atarassia come di abbandonarsi a ogni più funesta abiezione), pare configurarsi come inevitabile. Al punto da coinvolgere l'universo.

LUCREZIO, IL TEMPO, LA MORTE

I vv. 1073-1075 del III libro del *De rerum natura* costituiscono la parte finale di un celebre brano in cui Lucrezio, come sottilmente avverte il Bignone[1], «rende con la maggior concretezza e plasticità il sentimento più vago e quasi impalpabile delle età decadenti e stanche: la noia». L'annoiato, nella descrizione lucreziana, è colui che non sa che cosa voglia (vv. 1053 ss.), sempre alla ricerca di mutar luogo, quasi che così possa deporre il grave peso che lo opprime; in realtà, non fa altro che fuggire da se stesso, quel se stesso a cui resta tuttavia con dolore attaccato, al punto da averlo in odio. In effetti egli ignora l'origine del suo male (vv. 1070 ss.); se pervenisse a ravvisarne la causa, vorrebbe prima di tutto conoscere la vera natura delle cose, giacché è in questione lo stato non di un'ora sola, ma dell'eternità intera in cui i mortali dovranno trascorrere tutta l'età che resta loro dopo la morte. Subito dopo (vv. 1076 ss.) Lucrezio stigmatizza la brama di vita che ci spinge a trepidare nei pericoli, mentre ribadisce il *Leitmotiv* dell'intero libro: che ci attende una morte sicura, e che non ci si può sottrarre al suo incontro.

È opportuno citare i versi in questione nel loro contesto, e cioè i vv. 1068-1079, che riporto nel testo stabilito da Bailey[2]:

> Hoc se quisque modo fugit, at quem scilicet, ut fit,
> effugere haud potis est, ingratis haeret et odit
> propterea, morbi quia causam non tenet aeger;
> quam bene si videat, iam rebus quisque relictis
> naturam primum studeat cognoscere rerum,
> temporis aeterni quoniam, non unius horae,   1073
> ambigitur status, in quo sit mortalibus omnis

---

[1] Bignone 1945, 268.
[2] Bailey 1947 I.

aetas, post mortem quae restat cumque, manenda.   1075
Denique tanto opere in dubiis trepidare periclis
quae mala nos subigit vitai tanta cupido?
Certa quidem finis vitae mortalibus adstat
nec devitari letum pote quin obeamus.

Ritengo i vv. 1073-1075 estremamente problematici, e per più rispetti. Nessun esegeta li ha mai spiegati, non dico in maniera soddisfacente, ma soltanto nel loro significato letterale, che è indispensabile cercare di cogliere prima di conservarli, di espungerli, di spostarli, di emendarli. Contengono inoltre qualche problema testuale di cui è opportuno riferire i termini, anche se, comunque vengan letti, il senso sostanziale non mi pare divergere.

Manenda del v. 1075 è correzione del Lambinus[3] quasi universalmente accettata per *manendo* dei codici. Ecco quanto rileva, al riguardo, il Lambinus: «in quo statu temporis aeterni, omnis aetas, quaecumque post mortem restat, mortalibus est manenda: id est perduranda: in quo statu temporis aeterni, homines omnem aetatem, quaecumque post mortem restat, necessario permanebunt». È chiaro che il Lambinus unisce *manenda* a *sit*, e non a *restat*. Lo segue il Bailey[4], di cui è opportuno sin d'ora fornire la traduzione, che essenzialmente si ripete nella maggior parte degli interpreti: «since it is his state for all eternity, and not for a single hour, that is in question, the state in which mortals must expect all their being, that is to come after their death»[5]. A difendere *manendo*, a dire il vero, sono in pochi. C'è Heinze, nel suo illustre (e spesso trascurato) commento[6]: per lui, *restat manendo* equivale a *restat et manet*, oppure a *restat manens (nos)*; per di più, non pone virgola dopo *cumque*, come Bailey e quasi tutti gli editori. «Very awkward» definisce Bailey[7] l'interpretazione di Heinze; ma il testo tradito è mantenuto da Martin[8] e difeso da Barigazzi[9], che intende *manendo* come dativo di fine. Ora, la traduzione di Fellin, rivista da

---

[3]   Lambinus 1570[3], *ad l.*
[4]   Bailey 1947 II, 1173.
[5]   Bailey 1947 I, 357.
[6]   Heinze 1897, 199 (ma prima di lui già aveva difeso la lezione dei codici Wakefield 1813 II, 195-196).
[7]   Bailey 1947 II, 1173.
[8]   Martin 1963[5].
[9]   In Fellin – Barigazzi 1976[2], 61.

Barigazzi, è la seguente: «perché dell'eternità, non di un'ora, è in gioco la condizione, in cui sarà, per gli uomini tutto il tempo che resta dopo la morte, per durar sempre uguale». L'interpretazione di *manendo* come dativo di fine, almeno a giudicare dalla traduzione, non mi pare particolarmente perspicua. A ciò si aggiunga che Barigazzi non avverte che sia Heinze sia Martin non pongono virgola dopo *cumque*, laddove nel testo c'è. Particolare non irrilevante, dal momento che la critica si è concentrata sulla presenza o meno di quella virgola, piuttosto che sulla conservazione o l'emendamento del testo tradito.

Presentano la virgola dopo *cumque* anche i testi stabiliti da Brieger, Giussani, Büchner, Kenney, M. F. Smith, Giancotti, Brown[10], laddove non compare, oltre che in Heinze e Martin, in Lachmann, Bernays, Munro, Müller[11]. Il Lachmann accoglie l'emendamento *manenda* del Lambinus, al quale tuttavia rimprovera di aver collegato *aetas* con *manenda*[12]. A sua volta, il Brieger[13] rileva che Lachmann «virgula sublata locum corrupit». I termini della questione sono: 1. *manenda* è da collegare a *aetas* o a *quae restat*?; 2. è *quae restat cumque* da porre tra due virgole o è da eliminare la seconda? Il Munro elimina la seconda virgola, ma nel commento[14] glissa alla grande sul significato dei versi.

Può essere illuminante, come termine di confronto, la posizione del Giussani, che di gran lunga più degli altri si è soffermato sull'esegesi del passo. I suoi rilievi consentiranno di mettere da parte la questione testuale e di passare ad altro, più sostanziale ordine di idee. A parte la sua del tutto arbitraria convinzione che «il libro doveva certo finire con 1073» (= 1075: il Giussani numera 1071-1073 i vv. 1073-1075)[15], è opportuno leggere per intero quanto scrive in merito ai versi in questione: «Il pensiero in 1071-3 è alquanto involuto. "Giacché è in questione, non la condizione di un'ora, ma la condizione eterna, nella quale gli uomini hanno da aspettarsi che s'abbia a trovare tutta quanta l'età (loro; ossia:

---

[10] Cfr. Brieger 1894; Giussani 1897 III, 136; Ernout 1962 I; Büchner 1966; Kenney 1981, 242; Smith 1992; Giancotti 2006⁶; Brown 1997, 220.

[11] Cfr. l'edizione (1853²) e il commento (1855², 211-212) del Lachmann; Bernays 1852; Munro 1886⁴; Müller 1975.

[12] Lachmann 1855², 212.

[13] Brieger 1894, LVII.

[14] Munro 1886⁴ II, 230.

[15] Giussani 1897 III, 136: «Stona che dopo la precedente esortazione a studiar la questione, e come conchiude, venga quest'altro pizzico di prove o rifrittura di prove»; nella stessa pagina è il brano riportato nel testo.

abbiano essi a trovarsi per tutta quanta l'età), quale che ne sia la durata, che resta dopo la morte". È più esatto unire *manenda* con *aetas* (con Lamb. e Brg.) anziché con *quae restat* (con Lachm. Bern. e Munro); giacché non è l'*aetas* 'tempo' ciò che gli uomini devono aspettarsi, ossia ciò di cui importa ch'essi si facciano una convinzione quale sarà, ma l'*aetas* 'loro condizione'. E coll'indeterminato *quaecumque restat post mortem* Lucrezio abbraccia tanto il caso d'una durata eterna (della vita, *aetas*), come il caso d'una durata limitata (p. es. fino alla fine del mondo, cogli Stoici), come il caso suo di nessuna durata. Col Lachm. questo inciso è in contraddizione con *aeterni temporis*. Si tratta di decidere per l'eternità, se sempre vivremo, o punto non vivremo, o vivremo limitatamente per una parte di essa».

Il Giussani, dunque, unisce *manenda* con *aetas* e pone due virgole nel v. 1075. In effetti, le due ipotesi alternative riguardanti il riferimento di *manenda* e la presenza di una o due virgole (e aggiungerei pure la conservazione o meno del testo tradito) non toccano in alcun modo il problema di fondo. Tra parlare di un'eternità in cui gli uomini devono attendersi che venga a trovarsi l'intera età, qual ch'essa sia, che resta dopo la morte (interpretazione con due virgole) o parlare di un'eternità in cui per i mortali c'è tutto il tempo, qual ch'esso sia da attendersi dopo la morte (interpretazione con una sola virgola), rilevante distinzione concettuale non c'è. Il pensiero resta nella sostanza il medesimo, pur se non si rende *aetas* con 'tempo', ma con 'condizione', come, anche non molto perspicuamente, suggerisce Giussani. C'è da riflettere, piuttosto, sull'interpretazione di *aetas, post mortem quae restat cumque*. Il Giussani vi vede prospettate tre ipotesi, quella di una durata eterna (come per i platonici, direi), quella di una durata limitata (come per gli stoici), quella di nessuna durata, che è l'ipotesi epicurea. Ebbene, proprio quest'ultima assolutamente manca. I versi danno, anzi, come certo un tempo (o una condizione) da trascorrere, quale che sia, dopo la morte; questo tempo può essere senza limite o limitato; non v'è cenno alcuno sulla sua assenza. Non solo, ma il mortale è invitato a considerare lo *status* di tale tempo *post mortem*. E questo, dopo ventinove lunghe, snervanti, talora allucinanti prove addotte da Lucrezio per dimostrare che, dopo la morte, non v'è sussistenza alcuna, prove che occupano i vv. 425-783, la parte centrale del libro, il 'cuore' del poema; questo, dopo aver solennemente proclamato che *nil igitur mors est ad nos neque pertinet hilum* (3, 830), concetto ribadito nella più estenuante delle maniere. Impossibile dimenticare l'invito pressante di Lucrezio a considerare che il nulla rappresentato per noi dal tempo eterno trascorso prima della nostra nascita costituisce lo specchio del tempo, cioè del nulla, che seguirà la nostra morte (3, 972-975):

> Respice item quam nil ad nos anteacta vetustas
> temporis aeterni fuerit, quam nascimur ante.
> Hoc igitur speculum nobis natura futuri
> temporis exponit post mortem denique nostram.

Ancora, il Giussani rileva con il Lachmann che l'inciso (se di inciso si tratta) *post mortem quae restat cumque* è in contraddizione con *aeterni temporis*. Ora, anche il lettore più sprovveduto s'avvede che l'"inciso' ove si parla di una durata qualsiasi è in flagrante contrasto con qualsiasi ipotesi di eternità. Si tratta di un contrasto incredibile. Al termine dei suoi rilievi, la conclusione finale di Giussani, definita «plausibile» dal Giancotti[16], sulla quale non è il caso di indugiare in quanto semplicemente assurda.

Un certo disagio dinnanzi a questi versi si rivela semmai tra le righe di qualche esegeta. Kenney[17], ad esempio, osserva che «il contrasto tra *una hora* e *tempus aeternum* è ingegnosamente impiegato per porre in relazione il passo con l'argomento principale del libro, la morte e l'atteggiamento dell'uomo nei suoi confronti. A rigore, comunque, la connessione non è molto stretta». Il Brown[18], a proposito di *manenda*, arriva a osservare: «come un non epicureo potrebbe considerare la cosa: agli occhi di un epicureo, a rigor di termini i mortali non dovrebbero esistere dopo la morte per attendersi un futuro». Insomma, Brown si rende conto del non senso del concetto per un epicureo, e risolve a modo suo l'aporia, appunto notando: «as a non-Epicurean might see it».

Non minor disagio devono aver incontrato i trasposizionisti. Susemihl[19] propose di spostare i vv. 1073-1075 dopo il v. 1094, l'ultimo verso del libro. Luogo peggiore il Susemihl non poteva trovare. Ecco gli ultimi versi del III libro (vv. 1090-1094):

---

[16] Giancotti 2006[6], 90.
[17] Kenney 1981, 241; sulla sua scia Rumpf 2003, 198.
[18] Brown 1997, 220.
[19] Susemihl 1868, 57.

Proinde licet quot vis vivendo condere saecla;
mors aeterna tamen nilo minus illa manebit,
nec minus ille diu iam non erit, ex hodierno
lumine qui finem vitai fecit, et ille,
mensibus atque annis qui multis occidit ante.

Puoi vivere – afferma Lucrezio – per un tempo che superi le generazioni: ad attenderti sarà sempre e comunque la *mors aeterna*, cioè il nulla, né il non esistere sarà più breve per colui che ha finito di vivere oggi che per colui che da lungo tempo è scomparso. Il che è l'esatto contrario di quanto affermato nei vv. 1073-1075. E tuttavia il Susemihl scrive parole auree quando rileva (nello stesso luogo) che «nessuno ha ancora spiegato i vv. 1073-5 e difficilmente qualcuno sarà in grado di spiegarli». Dal canto suo, inutilmente il Kannengiesser[20] sposta i versi dopo il v. 1087. D'altronde, i versi che seguono (1076 ss.), con il loro richiamo alla funesta brama di vivere che spinge l'uomo a stare in perenne, ansiosa trepidazione, laddove un termine fisso della vita lo attende, mentre non può in nessun modo evitare l'incontro con la morte, ben si collegano con i versi che precedono il 1073, con la descrizione dell'uomo dominato dalla noia, sempre alla ricerca di svaghi che possano lenire il suo tormento, determinato, appunto, da un funesto desiderio di vita, che va corretto mediante l'autentica conoscenza della realtà.

È indispensabile, a questo punto, passare ad altro genere di considerazioni. Ricapitolando, nei vv. 1073-1075 vien detto che, incredibilmente (stando al pensiero di Epicuro e di Lucrezio), l'uomo deve preoccuparsi non di un'ora soltanto, ma del tempo eterno che lo attende dopo la morte. Salvo a dichiarare, in maniera ancora incredibilmente contraddittoria, che tale *tempus aeternum* potrebbe anche non essere eterno, ma quello qualsiasi che lo aspetta dopo la morte, e dunque, da eterno, il tempo si prospetta, come alternativa, anche limitato. Ebbene, ammettiamo, ma solo per assurdo, che questi versi in un modo o nell'altro (anche se proprio non saprei precisare quale), possano di sbieco rientrare nel pensiero epicureo. È da porre un quesito a monte: è possibile per l'uomo vivere un tempo eterno o un tempo qualsiasi, svincolato da ogni relazione col reale, e cioè con gli atomi e il vuoto, uniche realtà assolutamente esistenti? La risposta è senza dubbio alcuno negativa,

---

[20]   Kannengiesser 1878, 24-25.

dal momento che, per Epicuro come per Lucrezio, il tempo non esiste di per sé.

Ora, per Epicuro *esistono* soltanto gli atomi e il vuoto. Accanto al reale che è di per sé vi sono poi le qualità dei composti atomici, che Epicuro divide in due categorie, quella delle qualità essenziali, chiamate συμβεβηκότα (i *coniuncta* di Lucrezio), che caratterizzano stabilmente una data realtà, impensabile senza la loro presenza proprio perché esse la fanno essere ciò che è, e quella delle qualità accidentali, dette συμπτώματα (gli *eventa* di Lucrezio), che solo momentaneamente e casualmente possono associarsi a una realtà che, senza di esse, continua a essere ciò che è. Entrambe le categorie di qualità sussistono solo in quanto unite a realtà esistenti di per sé, le prime in maniera permanente, le seconde in maniera del tutto transitoria. Sull'argomento cfr. Epic. *Hdt.* 68-71 e Lucr. 1, 449-458:

> Nam quaecumque cluent, aut his coniuncta duabus
> rebus ea invenies aut horum eventa videbis.   450
> Coniunctum est id quod nusquam sine permitiali
> discidio potis est seiungi seque gregari,
> pondus uti saxis, calor ignist, liquor aquai,
> tactus corporibus cunctis, intactus inani.
> Servitium contra paupertas divitiaeque,   455
> libertas bellum concordia, cetera quorum
> adventu manet incolumis natura abituque,
> haec soliti sumus, ut par est, eventa vocare.

Sedley[21], fondandosi su Sesto Empirico, *M.* 10, 219-227, ritiene che συμβεβηκότα sia termine generico per indicare sia le proprietà inseparabili sia quelle separabili da ciò che esiste *per se*. Le proprietà permanenti, e dunque inseparabili, costituiscono parte essenziale della natura di un composto, mentre le proprietà separabili, e cioè gli accidenti, sono quelle non essenziali. Ma i vv. 451-452 di Lucrezio, ove *coniuncta* risultano essere le proprietà permanenti, è evidente ripresa di συμβεβηκότα di *Hdt.* 68. In questo passo non riscontro alcun termine che dia adito a dubbi: Epicuro dice innanzi tutto che cosa i συμβεβηκότα non siano, per poi affermare (69) che sono da considerare ὡς τὸ ὅλον σῶμα καθόλου ἐκ τούτων πάντων τὴν ἑαυτοῦ φύσιν ἔχον ἀΐδιον, «come proprietà tali che il corpo tutto nel suo insieme riceve da esse la sua natura permanente» (le traduzioni di questa sola sezione sono attinte da

---

[21]   Sedley 1988, 304-316.

Isnardi Parente[22]). Epicuro passerà successivamente (70-71) a parlare dei συμπτώματα, le proprietà non permanenti, che «nemmeno hanno la natura di quelle proprietà che hanno carattere permanente e senza le quali un corpo non può essere pensato» (οὔτε τὴν τῶν ἀίδιον παρακολουθούντων, ὧν ἄνευ σῶμα οὐ δυνατὸν νοεῖσθαι). Riterrei inaccettabile che in *Hdt.* 40 l'espressione συμπτώματα ἢ συμβεβηκότα possa venire intesa come «accidenti o altre proprietà»[23]. Aderentissima al testo greco è la Isnardi Parente: «e non come quelli che diciamo essere i loro attributi, propri o accidentali che siano». Epicuro sta sviluppando il concetto che uniche realtà essenziali del cosmo sono i corpi e il vuoto, oltre le quali niente è concepibile: si tratta, infatti, di essenze ultime e non di attributi, sia propri sia accidentali[24]. Certo, riguardo alle proprietà essenziali degli atomi (forma, grandezza, peso) sia i συμβεβηκότα sia i συμπτώματα potrebbero pur considerarsi in un'unica, generica categoria, ma non perché, come afferma Sedley[25], Epicuro non avrebbe un termine preciso per denominare le proprietà permanenti: «le due parole indicano entrambe una caratterizzazione accidentale rispetto alla sola proprietà di fondo, le ποιότητες quantitative... dei corpi ultimi»[26]. E tuttavia Epicuro distingue, credo in maniera molto chiara, i due termini. Riguardo al passo di Sesto Empirico riportato da Sedley, che ne riferisce il contenuto come attinto da Demetrio Lacone, è da dire che quest'ultimo è realmente citato all'inizio (219) per quanto concerne la nozione di tempo; ma dopo l'enunciazione di questa nozione, possiamo essere certi che quanto espone Sesto Empirico appartenga ancora a Demetrio? A parte questo, che pure è di importanza non irrilevante, Sesto Empirico si limita a dire che alcune realtà esistono *per se*, e cioè il vuoto e lo spazio; altre, che non esistono *per se*, si denominano συμβεβηκότα. Di questi ultimi, alcuni sono inseparabili dalle cose di cui sono attributi, altre sono tali da poter essere separate da esse (τούτων δὲ τῶν συμβεβηκότων τὰ μέν ἐστιν ἀχώριστα τῶν οἷς συμβέβηκεν, τὰ δὲ χωρίζεσθαι τούτων πέφυκεν). Credo che Lucrezio, nel passo da me riportato (1, 449-458), abbia molto più fedelmente ricalcato la formulazione epicurea contenuta nella *Lettera a Erodoto*. Laddove Epicuro distingue due termini, Sesto Empirico, con minor precisione, adopera soltanto συμβεβηκότα, sotto cui sussume da una parte le proprietà inseparabili (prive di termine preciso), dall'altra i συμπτώματα, gli accidenti, e cioè le proprietà separabili. Perplessità in Long – Sedley[27] anche per quanto concerne la resa

---

[22]   Isnardi Parente 1983².
[23]   Sedley 1988, 308; cfr. Long – Sedley 1987 I, 36-37; II, 20; cfr. pure Sedley 1999, 380.
[24]   Sui rapporti tra συμβεβηκότα e συμπτώματα cfr. Steckel 1960, 67 ss.
[25]   Sedley 1988, 308.
[26]   Isnardi Parente 1983², 173 n. 1.
[27]   Long – Sedley 1987 II, 26.

lucreziana (*eventa*) di συμπτώματα. A me sembra soddisfacente la distinzione operata da Bollack[28]: «Épicure, se servant d'une terminologie d'école, rapprochait fortement les deux aspectes – l'inséparable et le séparable sont des accidents des corps – par le même préverbe. Lucrèce, en ne traduisant pas les termes, mais l'idée, distingue deux ordres, celui du fond tenace (*coniunctum*) et la production ponctuelle et passagère de l'événement (*euentum*)»[29].

Forse non è inutile aggiungere che pure i συμπτώματα, gli accidenti, *esistono* nella realtà; non hanno sostanza di per sé, ma esistono[30]. Subito dopo aver discusso delle qualità accidentali, Epicuro, nella *Lettera a Erodoto*, tratta del tempo (72-73), che è un accidente, in un passo che non esito a riportare (di nuovo, e sempre, da Arr.²):

«[72] E anche questo bisogna ritenere per certo, che riguardo al tempo non si deve ricercare come per le altre cose che si indagano in un oggetto riferendoci alle anticipazioni che noi scorgiamo in noi stessi, ma bisogna considerarlo in analogia a quell'evidenza stessa sulla base della quale noi diciamo "molto" o "poco tempo", esprimendo il concetto in maniera conforme (ad essa evidenza)[31]. Né si debbono cambiare i modi di esprimersi come se altri fossero migliori, ma bisogna usare di quelli che già esistono in proposito, né alcun'altra cosa si deve predicare come se avesse la medesima essenza di questo fatto particolare (che è il tempo) – poiché anche questo fanno alcuni – ma bisogna porre attenzione a ciò cui lo annettiamo e in base a cui lo calcoliamo. [73] Poiché invero questo fatto non ha bisogno di essere dimostrato, ma che se ne tenga sufficientemente conto, cioè che noi connettiamo con i giorni, con le notti e le loro parti, così come con le nostre affezioni e con la mancanza di esse, col moto e con la quiete, un certo qual particolare accidente, e che a sua volta pensiamo proprio questo come dipendente da essi, in quanto nominiamo la parola tempo».

---

28 Bollack 1978, 157.
29 Cfr. pure Bollack 1983, 323-325, nonché Asmis 1984, 250.
30 «Gli *eventa* non possiedono il carattere della necessità e del "non potere non essere diversamente", ma tuttavia accadono e in quanto accadono e tornano ad accadere non possono essere negati»: così Viparelli 2001, 87-88.
31 Καὶ μὴν καὶ τόδε γε δεῖ προσκατανοῆσαι σφοδρῶς· τὸν γὰρ δὴ χρόνον οὐ ζητητέον ὥσπερ καὶ τὰ λοιπά, ὅσα ἐν ὑποκειμένῳ ζητοῦμεν ἀνάγοντες ἐπὶ τὰς βλεπομένας παρ' ἡμῖν αὐτοῖς προλήψεις, ἀλλ' αὐτὸ τὸ ἐνάργημα, καθ' ὃ τὸν πολὺν ἢ ὀλίγον χρόνον ἀναφωνοῦμεν, συγγενικῶς τοῦτο περιφέροντες, ἀναλογιστέον.

Dal non sempre perspicuo modo di scrivere di Epicuro risulta comunque chiaro che del tempo non possiamo avere prolessi: possiamo scorgere prolessi delle altre cose, «ma quelle del tempo no, in quanto sono sempre legate indissolubilmente a prolessi di altre realtà, così come ad altre realtà è indissolubilmente legato il tempo»[32]; ed è chiaro altresì che il tempo, attraverso un ragionamento induttivo, è in rapporto con i giorni e le notti, sentimenti, moti e stati di quiete. Ancora: a proposito del tempo, Epicuro osserva che non si devono mutare i modi di esprimersi, ma bisogna adoperare quelli che già esistono al riguardo: «Every investigation begins with the use of conventional language», direbbe la Asmis[33]. In altri termini, i nostri sensi dell'oggetto, percepiscono sì le qualità accidentali, ma soltanto l'oggetto è reale, non l'accidente in sé. Insomma, il tempo non esiste di per sé.

Lucrezio procede in maniera identica: dopo aver concluso il discorso generale sulle proprietà accidentali, fornisce una univoca nozione del tempo[34], dichiarando innanzi tutto che il tempo *per se non est* (1, 459-463):

> Tempus item per se non est, sed rebus ab ipsis
> consequitur sensus, transactum quid sit in aevo,
> tum quae res instet, quid porro deinde sequatur.
> Nec per se quemquam tempus sentire fatendumst
> semotum ab rerum motu placidaque quiete.

Il tempo, dunque, non esiste di per sé (Lucrezio collega *item* agli *eventa*, alle qualità accidentali di cui ha appena finito di parlare), ma il senso di ciò che si è compiuto, di ciò che è ora e che poi seguirà proviene dalle cose stesse. E pertanto occorre ammettere che nessuno avverte il tempo in sé, disgiunto dal movimento e dalla quiete degli oggetti. C'è chi ritiene (anche tenendo conto dei versi che seguono: 464-482[35])

---

[32] Cfr. Arrighetti 1973[2], 663.

[33] Asmis 1984, 34.

[34] Cfr. Bailey 1926, 241-242.

[35] In questi versi, ricordando il rapimento di Elena e la guerra di Troia, Lucrezio sottolinea che nulla si sarebbe dato senza l'esistenza dei corpi e del vuoto, e che dunque si tratta di avvenimenti che non possiedono alcuna esistenza autonoma: occorrerà definirli allora – conclude il poeta – *eventa corporis atque loci*, accidenti dei corpi e dello spazio in cui ogni cosa si attua. Studia questi versi Warren 2006 alla luce del problema «Were the Epicureans presentists?» (364), prospettando, secondo

che qui Lucrezio polemizzi contro gli stoici[36]: polemica che, tuttavia, non mi sembra intrinseca al discorso lucreziano, e che non è necessario postulare[37].

Solo in maniera figurata, una volta definito inequivocabilmente che il tempo non esiste di per sé, Lucrezio potrà parlare a più riprese dell'azione del tempo sulle cose, sugli uomini (mi limito a ricordare soltanto 5, 306-317 e 828-836). Accanto al vuoto, esiste solamente la realtà atomica. Ed è la realtà atomica (non il tempo!) a determinare la vita e la morte, e cioè l'aggregazione e la disgregazione dei composti. Quello degli atomi è un movimento al quale è congiunto, puramente e accidentalmente congiunto, il tempo. Ora, sia il moto sia la quiete costituiscono uno stato fisico del tutto accidentale. Ne consegue che il tempo è σύμπτωμα συμπτωμάτων, un accidente di accidenti, secondo la limpida definizione di Sesto Empirico, *M.* 10, 219 (= 164 Arr.²)[38], che cita Demetrio Lacone:

«E poi, come dice di lui Demetrio Lacone, sostiene che il tempo è una qualità accidentale degli accidenti [τὸν χρόνον σύμπτωμα συμπτωμάτων εἶναι λέγει], che accompagna i giorni e le notti e le stagioni, e le affezioni e la mancanza di esse, il moto e la quiete. Tutti questi infatti sono accidenti connessi a qualcos'altro, e il tempo, che ad essi è connesso, potrebbe verosimilmente dirsi accidente di accidenti».

Insomma, il tempo è un *eventum eventis coniunctum*, secondo la felice definizione del Giussani[39].

Di rilevantissimo aiuto per l'intelligenza della concezione del tempo in Epicuro si è rivelato il Papiro Ercolanese 1413 che, sia pur in forma assai lacunosa, ha chiarito alcuni punti essenziali che, evidentemente, nella *Lettera a Erodoto* venivano sottintesi. Non è questo il luogo per un'accurata disamina dell'intero papiro[40]. Mi limito a ricordare

---

questa angolazione, due letture del passo.

[36]   Cfr., ad esempio, Bailey 1947 I, 675-678 e Barigazzi 1959, 55-56.

[37]   Cfr. Furley 1966, 13-14 e Bollack 1983, 313.

[38]   Cfr. pure Barigazzi 1959, 49.

[39]   Giussani 1896 I, 27-38. Eccellenti notazioni sul tempo inteso come accidente di accidenti in Diano 1974, 116-123.

[40]   Cfr. Arrighetti 1971, 41-56, ma sopra tutto Arrighetti 1973², 381-415 e 647-667. Cfr. pure Monet 2007. È solo un'ipotesi che il papiro sia relativo al libro X del περὶ φύσεως (Sedley 1998, 118-119). Sulla nozione di tempo in Epicuro cfr. anche

περὶ φύσεως 37, 31 Arr.[2], ove è detto che il tempo è φαντασία κινήσεως πάσης καταμετρητική: «il tempo è una rappresentazione che misura ogni movimento» (e non solo fisico, come il succedersi dei giorni e delle notti, ma anche psichico). In ultima analisi, la nozione del tempo-misura si forma, come qualsiasi altra nozione teorica, sulla base di un dato sperimentale, come può essere l'alternanza del giorno e della notte. I giorni e le notti *non* costituiscono pertanto una misura ontologica del tempo[41]. All'origine del concetto di tempo è dunque un'inferenza da intuizione sensibile di stretta competenza della gnoseologia epicurea[42]. Ritengo che, con le debite riserve, possa essere anche accettato quanto nota Gisela Berns, che ha studiato il rapporto tra tempo e natura in Lucrezio[43], rapporto che, a mio avviso, ha tuttavia alquanto enfatizzato (a partire dall'espressione *dies naturaque* di 1, 322): «Il tempo è un accidente del movimento e, come tale, un accidente della natura, dove la natura vale per l'inalterabile aspetto dell'essere, le ferme leggi di una materia infinita in infinito movimento nello spazio infinito, e tempo vale per il mutevole aspetto del mondo fenomenico, la misurabilità delle attuazioni della materia infinita in infinito movimento nello spazio infinito».

Ora, l'espressione *tempus aeternum* è presente, in Lucrezio, a breve distanza, in due occorrenze del I libro: *ex aeterno tempore* a v. 578 e *aeternum tempus* a v. 582, a conclusione di un discorso sulla indivisibilità degli atomi (vv. 551-583). In particolare, Lucrezio sta parlando della sussistenza atomica dall' 'eternità'. Tale nozione di 'eternità' non è da interpretare in senso autonomo, ma alla stregua di una infinita serie di eventi originati dalle collisioni atomiche, alla ripetizione di tali urti che atomi ricevono da altri atomi, urti cui è associata la nozione temporale. L'eternità, insomma, non può riferirsi a un concetto che non si intende se non indirettamente, e cioè tramite la permanenza o la variazione delle cose oggetto di percezione. Come faccia poi un mortale, come re-

---

Verde 2010, 205-211.

[41]   Cfr. Arrighetti 1973[2], 656-657, nonché Barigazzi 1959, 39-40.

[42]   Cfr. Isnardi Parente 1983[2], 21; cfr. pure Isnardi Parente 1976, nonché Rist 1978, 68. Da meditare Fallot 1977, 49-56.

[43]   Berns 1976, 484. Non tutto convince, nell'articolo della Berns: la *Coda* (485-492), ad esempio, avrebbe forse fatto meglio a non aggiungerla. Da notare che la Berns è la Neck 1964 (che mostra, nel complesso, di seguire da vicino Barigazzi 1959).

citano i vv. 1073-1075, a avere nozione di tempo, eterno o limitato che sia, a prescindere da ogni movimento atomico, è mistero impenetrabile.

Si profila a questo punto un problema alquanto delicato. Per la Caujolle-Zaslawsky[44] «il tempo è il modo con cui il pensiero umano organizza e si rappresenta alcuni aspetti dei corpi risultanti dal movimento degli atomi. L'uomo chiama "tempo" la sua propria attività su alcune di queste percezioni (che non sono percezioni *del tempo*, ma percezioni *a partire dalle quali* l'uomo elabora una sensazione particolare che egli denomina "tempo")». Dunque: «Il n'y a pas de temps hors de la conscience humaine». Se non esistesse l'uomo, non esisterebbe dunque il tempo? Con riferimento alla nozione lucreziana (e epicurea) del tempo, Servio anticipava le conclusioni della Caujolle-Zaslawsky: a *Aen.* 3, 587 nota: *per se tempus non intelligitur, nisi per actus humanos* (sempre Servio, a *Aen.* 7, 37, aggiunge: *tempora, nisi ex rebus colligantur, per se nulla sunt*: il che mi pare indiscutibile). Ancora, Arrighetti[45], a proposito di περὶ φύσεως 37, 35, in relazione al tempo, osserva: «è impossibile pensare alla sua reale e obiettiva esistenza prescindendo dalla mente che lo concepisce e se ne forma un'idea come μῆκος». Il problema è imperniato, nel luogo citato, sulla questione se ἐν φύσει esista un μέτρον. Il passo è molto arduo, anche a causa di nevralgiche integrazioni, al punto che ogni conclusione definitiva è inevitabilmente azzardata. Il Barigazzi rileva[46] senz'altro che per Epicuro il tempo «è la misura di ogni movimento e che questa misura è nelle cose». Ciò non appare assolutamente in contrasto con il fatto che l'uomo pervenga alla nozione del tempo tramite inferenza. Vorrei dire di più: non è forse vero che gli accidenti, anche nel loro carattere meramente e casualmente aggiuntivo, *esistono* pur tuttavia? Ciò che è da evitare in ogni modo è qualsiasi forma interpretativa del tempo epicureo che risenta, sia pure alla lontana, dell'approccio kantiano al medesimo problema.

Torniamo ai vv. 1073-1075. Nel 2000 Sabine Luciani ha scritto un volume intero sulla filosofia e sulla poetica del tempo in Lucrezio, e più di una volta cita i nostri versi a sostegno, direi essenziale, della sua tesi. Bisogna dare atto alla Luciani che il suo lavoro è ricco di

---

[44] Caujolle-Zaslawsky 1980, 295.

[45] Arrighetti 1973², 661.

[46] Barigazzi 1959, 47. Comunque da tener presenti le riflessioni di Sallmann 1962, 164-165. Opportunamente Morel 2002, 202 n. 4 prende posizione contro le conclusioni puramente soggettivistiche della Caujolle-Zaslawsky.

documentazione e di ipotesi dimostrative (anche se alquanto ripetitivo); ma è profondamente sbagliato. Ecco, con le sue parole, quanto intende dimostrare[47]: «Noi pensiamo in realtà che la contemplazione della morte, alla quale Lucrezio invita il suo lettore tramite la mediazione della poesia, costituisce il mezzo per raggiungere la serenità. La morte, suprema istanza dei *foedera naturae*, conduce allora alla scoperta liberatrice del *tempus aeternum*, che comporta, insieme, il movimento e il riposo, il tempo e l'eternità» (a dire il vero, non risulta del tutto chiaro che cosa intenda la Luciani per "eternità"). Insomma, «le triomphe de la mort est... un gage de sérénité»[48]. La Luciani elabora una sorta di 'mistica della morte' che è semplicemente inapplicabile a Epicuro che, come è noto, s'affanna, insieme con il suo discepolo Lucrezio, a inculcare in maniera indelebile che *nulla* per noi è la morte. E, a proposito dell'eternità, non aveva forse Epicuro in *Sent. Vat.* 14 ribadito che siamo nati una sola volta, e che due volte non è possibile nascere, e che pertanto l'eterno non esiste affatto (δεῖ δὲ τὸν αἰῶνα μηκέτι εἶναι: «è necessario non essere più in eterno»)? L'atarassia, per la Luciani, si conseguirebbe mediante la contemplazione dell'eternità *post mortem*; solo in tal modo l'uomo riesce a superare i limiti della sua vita: «col prender coscienza del tempo infinito che caratterizza la natura, l'uomo giunge a superare la sua propria temporalità»[49]. A più riprese la Luciani cita i nostri versi, li utilizza come determinanti per la sua dimostrazione, ma non li spiega mai. Ad esempio, sottolinea l'insistenza di Lucrezio in questi tre versi su termini come *status, restat, manenda* come indizio della stabilità che caratterizza lo stato *post mortem*, e rileva[50]: «Il tempo della morte non è soltanto infinito, ma diviene per di più eterno, a causa di tale immobilità»; e ancora[51]: «è nella scoperta dell'estensione infinita del tempo che l'anima può trovare un acquietamento delle sue angosce». No, assolutamente. Per due motivi. Sia perché, scoprendo l'estensione del tempo, l'uomo scoprirebbe un accidente o, per essere più esatti, un accidente di accidenti; sia perché unico è il modo per conseguire l'atarassia, ed è *placata posse omnia mente tueri*. E basta. In conclusione, i vv. 1073-1075 non solo non vengono spiegati dalla

---

[47] Luciani 2000, 11.
[48] Luciani 2000, 257.
[49] Luciani 2000, 290.
[50] Luciani 2000, 284-285.
[51] Luciani 2000, 298.

Luciani, ma risultano gravemente travisati, nonostante ogni suo generoso impegno dimostrativo.

Singolare la posizione di Beye[52], che formula puntuali rilievi sulla concezione della vita e della morte in Lucrezio: la vita è ciò che è conosciuto, ordinato, delimitato; a essa vengono spesso congiunte (*passim*) immagini di luce, 'le rive della luce'; la morte, invece, è immaginata soltanto nei termini del suo ingresso ('la porta della morte' in 1, 1112; 3, 67; 5, 373-375; 'la soglia della morte' in 2, 960), ma non è mai immaginata, come la vita, come una totalità spaziale[53]; piuttosto, viene definita 'oscura' in 2, 580 e in 3, 39. E tuttavia Beye si perde nell'individuare il senso dei nostri versi in una interpretazione che contraddice quanto da lui affermato[54]. Contro la paura della morte – egli sostiene – il miglior rimedio è quello indicato nei vv. 1071-1075, che riporta così intesi: «È l'eternità che finalmente resiste a ogni cambiamento, eternità che procura la più grande stabilità. Lucrezio invita il suo lettore a identificarsi, attraverso lo studio della natura, con l'eterno e immutabile ritmo del cosmo. Egli deve uscire fuori per entrare in contatto con il più grande elemento che lo circonda e lo inghiotte... L'uomo deve tenersi separato dalle complicazioni della vita, attraversare la soglia, e attraverso la comprensione trovare la morte». Beye è di gran lunga più oscuro del passo in questione.

Eppure già nel 1987 il Lavery aveva riscontrato un assurdo nel *manenda* di v. 1075, rilevando che il concetto espressovi di permanenza, di stabilità «is purely illusory»[55]. Il Lavery osserva che «l'assioma che è alla base di un tempo rettamente inteso è quello della non permanenza, né si può separare il tempo dal cambiamento». Il rilievo del Lavery non è che un ulteriore elemento che s'aggiunge a quelli già discussi, che fanno concludere, a me alquanto cauto dinnanzi a ipotesi di trasposizioni o di atetesi, che i vv. 1073-1075 non possono essere stati scritti da Lucrezio.

Last but not least, temporis aeterni è lezione di A (= *Vat. Lat. 3276*) e di B (= *Barberinus Lat. 154*), entrambi del XV secolo. Le due parole dovevano essere invertite nell'archetipo, dal momento che il *Quadratus* ha *aeterni temporis*, nell'autorevole *Oblongus* è *aeternitatem corporis*,

---

[52]   Beye 1963.
[53]   Beye 1963, 161.
[54]   Beye 1963, 163-164.
[55]   Lavery 1987, 728.

lezione che Bailey[56] ha tutti i titoli per definire «strange corruption». Più che strana, appare estremamente problematica. Sarei tentato di vedervi una mano monastica, non solo nel senso fisico, s'intende. Forse, una mano monastica nella lezione di O; forse, una scaltrissima mano monastica in 3, 1073-1075. *Hi versus omnino spurii mihi videntur*.

---

[56]   Bailey 1947 II, 1173.

UN PASSO TORMENTATO DEL IV LIBRO

Non è difficile concordare con Butterfield che i vv. 78-83 costituiscano «forse il passo più tormentato del IV libro» del *De rerum natura*[1]. Riporto da v. 75:

> Et volgo faciunt id lutea russaque vela   75
> et ferrugina, cum magnis intenta theatris
> per malos volgata trabesque trementia flutant;
> namque ibi consessum caveai subter et omnem
> scenai speciem †patrum matrumque deorum†
> inficiunt coguntque suo fluitare colore.   80
> Et quanto circum mage sunt inclusa theatri
> moenia, tam magis haec intus perfusa lepore
> omnia conrident correpta luce diei.

Al di là delle proposte di lettura senza numero (cui s'aggiunge ora questa mia), le *cruces* a v. 79 sono di rigore. Inutile prendere in esame ogni singola proposta. La discussione verrà sviluppata sul confronto delle poche letture che, per un verso o per un altro, si rivelano utili per accostarci a quello che potrebbe essere il testo del poeta. Le altre – la maggior parte –, frutto di libero esercizio di fantasia, possono essere lasciate al giudizio del lettore[2].

---

[1] Butterfield 2009, 109.

[2] Eccone un saggio, certamente incompleto: *parvum magnumque, deorsum* (Bergk 1884, 484 [ma *deorsum* è congettura di Bernays 1852, che ha avuto ottima e, a mio avviso, immeritata fortuna]); *propriam variamque colorum* (Polle 1867b, 337); *varium ornatumque deorum* (Höfer 1872, 10); *Parium marmorque deorum* (Brieger 1894); *scenai speciem, speciem patrum atque decores* (incredibile lettura di Smith in Leonard – Smith 1942, 530); *variam statuasque deorum* (Meurig-Davies 1946, 2); *patrum Matrisque Deorum* (Colin 1954, 348-349, con allusione al culto della *Magna*

Una certa fortuna ha avuto la lettura proposta da Munro e introdotta nella sua edizione[3]: *patrum coetumque decorum*. È lettura difesa nel commento e accolta nel testo dal Giussani[4]; oltre al plauso di Merrill (cfr. *infra*), è posta in evidenza dal Bailey[5], che però nel suo testo pone le doverose *cruces*. In effetti quella del Munro è forse tra le peggiori letture che siano state proposte. Mettiamo da parte *decorum*, che pur ha le sue buone ragioni di verisimiglianza. Degna di rilievo è pure l'eliminazione di *matrumque* (bene rileva Bailey: «the inclusion of the *matres* is unnatural, and they would not be sitting with the *patres*»). Ma con quale termine Munro sostituisce *matrumque*? con *coetumque* che, a parte l'assenza di ogni motivazione paleografica, è sotto ogni rispetto una vera e propria zeppa. Al punto che lo stesso Munro si rivela dubbioso al riguardo, dal momento che in apparato avverte: «*patrum* e *decorum* mi paiono sufficientemente certi: per *coetumque* forse *ornatumque* o qualcosa di simile». E *patrum*? per *patrum* Munro trova il suo principale sostegno in Verg. *Aen.* 5, 340-341 *hic totum cavae consessum ingentis et ora / prima patrum magnis Salius clamoribus implet*[6]. Occorre dire che si tratta di coincidenza troppo tenue in un contesto per di più del tutto diverso? E tuttavia il luogo virgiliano verrà, credo indebitamente, molte volte riportato a sostegno di *patrum* nel passo lucreziano.

Decorum, dunque, scrive Munro in luogo di *deorum*. Prima di lui Lachmann aveva proposto *decorem* (cfr. *infra*), lettura che pure ha una sua storia. Si dice comunemente che Merrill abbia proposto *patrum matrumque decorem*. Ed è vero. È lezione approvata da Diels[7], e la si ritro-

---

Mater); *scaenalem speciem patrum turmamque decoram* (Howard 1961, 150-152); *turbamque decoram* (Smith 1992), ma *patrum turmamque/turbamque decoram* già Housman: cfr. Butterfield 2009, 110; *patrum matrumque decores* (Verdière 1961, 89-90: leggero ritocco alla proposta di Merrill, su cui *infra*); *patrum matrumque deorsum* (Martin 1963[5], con testo tradito più congettura sempreverde di Bernays); *patrum matrumque levamen* (Büchner 1966; la congettura, pur avanzata dubbiosamente, è tuttavia introdotta nel testo; la nota giustificativa – troppo lunga per un apparato – lascia nel lettore il sospetto che il pur valoroso Büchner abbia frainteso il senso del passo); *patulam manantia deorsum* (un omaggio alle Muse di MacKay 1975); *patrum<que> equitumque decorem* (Watt 2009, 158). Conservano doverosamente le *cruces*, oltre che l'edizione di Bailey 1947 I, quelle di Ernout 1964 II, di Smith 1992 e di Giancotti 2006[6].

3   Munro 1886[4].
4   Giussani 1897 III, 160.
5   Bailey 1947 III, 1190.
6   Munro 1886[4] III, 234.
7   Diels 1923.

va facilmente nelle citazioni in studi di critica letteraria. Credo tuttavia non inopportuna una precisazione. Nell'edizione lucreziana del 1907 Merrill[8] rileva che «tutte le proposte sono insoddisfacenti e la migliore sino a questo momento è quella di Munro», al punto da introdurla nel testo. La proposta di Munro è ancora presente nell'edizione del 1917, tranne che in nota (non ha un vero apparato) aggiunge: «*fort.* matrumque decorem». La mia precisazione, a dire il vero, non cambia molto le cose. Merrill riferisce dunque *decorem* a *patrum matrumque*, e evidentemente si lascia coinvolgere dallo sfarzo coloristico degli abiti dei senatori e delle matrone. È l'idea sviluppata successivamente da West[9]: *patres* e *matres* «sono stati certamente menzionati per la bianchezza delle toghe dei senatori e lo splendore dell'eleganza delle matrone è in grado di produrre i più straordinari effetti di colore sotto i tendoni colorati». Ma a v. 79, ove si parla della scena (perché è indubbio che della scena si parla, dopo l'accenno al *consessus* di v. 78), è del tutto fuori luogo la presenza dei bianchi senatori, per non parlare delle agghindate matrone che chissà dove erano accomodate.

Altri esegeti hanno preso convenientemente atto che l'attenzione lucreziana nel v. 79 doveva essere per intero concentrata sulla scena. Ecco dunque Müller[10] che senz'altro introduce nel testo *personarumque decorem*, lezione accolta da Godwin e da lui ben tradotta con: «the magnificence of the masked actors»[11]. Certamente gli attori in maschera conferiscono movimento e colore alla scena, e resta indubbio merito di Müller quello di aver fatto piazza pulita di ogni proposta non attinente alla *scaena*. Resta tuttavia difficile spiegare la corruzione dal punto di vista paleografico, sebbene io sia convinto che il criterio paleografico non possa avere valore assoluto: quando si sbaglia nel copiare può capitare, anche spesso, di sbagliare di grosso, con autentiche sostituzioni di parole. Ma, ancora più, Müller – mi si consenta l'espressione – fa scrivere a Lucrezio un verso piuttosto duro, ove la gravezza della parola in quella posizione di verso mal s'adatta, anche con il suo estremo dettaglio di significato, alla splendida *imagery* lucreziana contenuta nel passo.

---

[8]   Merrill 1907, 595.
[9]   West 1994², 39.
[10] Müller 1975.
[11] Godwin 1986, 17.

Un discorso analogo riservo per l'ultima (per quanto mi risulta) proposta di lettura: *picturarumque decorem* di Butterfield[12]. Penso che Butterfield, il quale per altro ribadisce la necessità delle *cruces*, abbia rettamente, meglio di Müller, inteso il passo. Ciò che descrive Lucrezio è la scena, e la sola scena, con le sue luci, i suoi colori, perché qui è di luce e di colore che il poeta tratta, in relazione alla luminosità che proviene al di là del velario. *Picturarum*, rispetto a *personarum*, è senz'altro preferibile perché niente più che le pitture si prestano ai giochi di colore. E tuttavia riscontro in *picturarumque* la medesima gravezza nel contesto del luministico sistema metaforico da me riscontrata nei riguardi di *personarumque* (quasi 'pugno nell'occhio'). Comprendo che non si può ridurre la critica testuale a un'impressione di gusto soggettivo. Ebbene, mi limito a dire che sia quello di Müller sia quello di Butterfield non mi sembrano versi che possano rientrare nello stile di Lucrezio. A sostegno di parola quadrisillaba seguita da *-que* e in identica posizione di verso, Butterfield cita *tempestatesque* di 6, 611[13]. Ma – mi si consenta – *adde vagos imbris tempestatesque volantis* è verso lucreziano, potentemente lucreziano, cosa che non credo possa esser detta per il v. 79 nella dura ricostruzione di Müller e di Butterfield.

Unico corretto avvio alla soluzione del problema è quanto rileva Lachmann e la sua proposta di lettura: *pulcram variumque decorem*[14], da leggere insieme con un luogo dello stesso libro IV che si rivela determinante per il nostro discorso, un luogo ove Lucrezio parla ugualmente di teatro (vv. 982-983): *...et consessum cernere eundem / scaenaique simul varios splendere decores*. Le affinità con i vv. 78-79 sono evidenti. E si sa che a Lucrezio piace *ripetere variando*. È molto difficile che in 4, 79 al posto di *deorum* non ci sia parola comunque simile a *decores* di 4, 983.

Ora, si è già rilevato che la presenza di senatori – e di matrone con loro curiosamente accomodate – è fuori luogo. Per altro, neanche alla lontana è da immaginare che possa essere mantenuto il testo dei codici che, se da un lato suona pure bene (*patrum matrumque deorum*), dall'altro rivela un significato assurdo: «dei padri e delle madri degli dèi»[15]. Ma *speciem pulcram* e *varium decorem* di Lachmann costitui-

---

12 Butterfield 2009, 111-112.
13 Butterfield 2009, 111 n. 11.
14 Lachmann 1855², 218.
15 Pensare che l'espressione possa alludere a statue di divinità è, tra le altre,

scono se non proprio una tautologia[16], almeno una specificazione super-flua. D'altro canto, Lachmann prende di peso *varios... decores* di v. 983 e, con necessario adattamento, trasporta aggettivo e sostantivo a v. 79.

Ma che cosa fa poi Richter? Accoglie *pulcram* di Lachmann e vi aggiunge *variamque deorsum* di Bernays, che aveva proposto *claram variamque deorsum*[17]. Due aggettivi più un avverbio, *deorsum* ("verso il basso"): la vera tautologia è proprio in questo sgraziato avverbio. O che *subter* non aveva reso l'idea nel verso che immediatamente prece-de?

Si potrà obiettare a Lachmann di aver attribuito a *speciem* un ag-gettivo generico come *pulcram*, tanto più che già da solo il sostantivo *species* può avere, in accezione pregnante, il senso di «good appearan-ce, beauty, attractiveness» (*OLD*, *s. v.*, 3 b). Può avere, certo, ma non necessariamente (*OLD*, *ib.*, a); anzi, nel nostro contesto, l'aggettivo può essere richiesto da una certa *abundantia* lucreziana.

Piuttosto è su *varium* che s'appuntano i miei dubbi, e non solo per la cosiddetta 'tautologia', quanto perché l'intenso colorismo del passo sembra richiedere una determinazione più specifica, che rappresenti la *scaena* in maniera più particolare (e non già del *consessus*: in tal senso ritengo legittima l'istanza di Müller e di Butterfield).

È un luogo delle *Georgiche* virgiliane a illuminare in modo, riten-go, decisivo, il verso di Lucrezio (3, 24-25).

> vel scaena ut versis discedat frontibus utque
> purpurea intexti tollant aulaea Britanni.

Nel proemio al III libro Augusto è ritratto nel contesto di una cerimonia trionfale in cui sono inserite pure rappresentazioni sceniche. A v. 24 vengono descritte le scene mobili che erano sostituite sulla frontescena architettonica tramite determinate manovre (di minore interesse per noi è il v. 25: i Britanni rappresentati sul siparo danno l'impressione di essere proprio loro a sollevarlo).

In *georg*. 3, 24 la scena è colta nel suo mutarsi *versis... frontibus*. È quella *scaenae frons* menzionata più volte da Vitruvio (cfr. *ThlL* VI 1, 1361, 58-61), in modo particolare in 5, 6, 8:

---

ipotesi malaccorta di Ross Taylor 1952.

[16]   Come afferma Richter 1974, 54.

[17]   Richter 1974, 55; Bernays 1852.

Ipsae autem scaenae suas habent rationes explicitas ita uti mediae valvae ornatus habeant aulae regiae, dextra ac sinistra hospitalia, secundum autem spatia ad ornatus comparata, quae loca Graeci περιάκτους dicunt ab eo quod machinae sunt in his locis versatiles trigonos habentes in singula tres species ornationis, quae cum aut fabularum mutationes sunt futurae seu deorum adventus cum tonitribus repentinis ea versentur mutentque speciem ornationis in frontes. Secundum ea loca versurae sunt procurrentes, quae efficiunt una a foro, altera a peregre aditus in scaenam[18].

Scene mobili si alternavano, allora, sulla frontescena in seguito a determinate manovre[19]. C'era in sostanza una frontescena architettonica; ai lati, due *machinae trigonae*, e cioè prismi triangolari girevoli, atti a mutare la scenografia (scene colorate ritraenti scorci di città, prospettive di campagna, approdi marini) a seconda della necessità della rappresentazione. Vitruvio parla di *machinae versatiles*, corrispondenti di fatto alla *scaena versilis* menzionata da Servio nel commento al passo delle *Georgiche* prima citato (*vel scaena ut versis discedat frontibus...*): *scaena... versilis... erat, cum subito tota machinis quibusdam convertebatur et aliam picturae faciem ostendebat.*

Ora, il verso virgiliano (oltre che il luogo di Vitruvio) è di ogni rilevanza per il nostro discorso, e non solo per la determinante espressione *versis... frontibus*: *scaena... discedat* indica precisamente il sostituirsi degli sfondi dipinti. Quasi superfluo aggiungere che i colori di ogni *frons*, suscettibili di avvicendamento, dovevano creare effetti coloristici

---

[18]   Il testo è altamente tecnico, e esige una traduzione altrettanto 'tecnica': «Le stesse scene poi abbiano regole definite in modo che la porta di mezzo abbia gli abbellimenti di una corte regia, quelle a destra e a sinistra siano proprie degli ospiti, inoltre dietro vi siano aree disposte per apparati scenici, luoghi che i Greci chiamano *períaktoi* (attorno a un punto focale) per il fatto che in questi luoghi *vi sono macchine mobili triangolari aventi ciascuna tre campi ornamentali*, le quali quando stanno per verificarsi o cambiamenti nei drammi ovvero apparizioni di dèi, con tuoni improvvisi *si girano verso tali parti e mutano il campo ornamentale sulle fronti*. Presso tali luoghi vi sono le quinte sporgenti che danno luogo a ingressi alla scena uno dal foro, l'altro da fuori città» (il corsivo è mio; la traduzione è di Corso in Gros 1977, 573). Per il passo virgiliano può essere utile leggere il commento alle *Georgiche* di Thomas 1988, 43 e quello di Mynors 1990, 183.
[19]   Limpida, al riguardo, Scagliarini Corlàita 1990, 58; altrettanto limpida la notazione dell'*OLD* relativa all'impiego di *frons* nei luoghi citati delle *Georgiche* e di Vitruvio (*s. v.*, 9): «applied to one of the faces of a set of reversible scenery».

di particolare vivacità (altro non sono che gli effetti ottenuti da quelle medesime *picturae* che Butterfield ha fissato nella sua, a mio giudizio, greve congettura *picturarumque*).

Propongo di leggere in Lucr. 4, 79: *scaenai speciem pulcram frontemque decoram* (ma *cruces*, di rigore, nel testo!).

Nel verso lucreziano, dunque, prima la scena considerata nella sua complessiva magnificenza (*pulchra*); poi nell'adorna, particolare bellezza (*decor*) della singola scenografia che volta per volta si prospetta sulla scena.

E il significato preciso, qui, di *frons*? Non solo si desume dai rilievi precedenti, ma è illustrato con esattezza dall'*OLD* (*s. v.*, 9) che, oltre a indicarne il valore generico («the exposed surface, outer side of anything»), ne definisce in maniera impeccabile l'accezione particolare con riferimento ai nostri Virgilio, *georg.* 3, 24 e Vitruvio 5, 6, 8: «applied to one of the faces of a set of reversible scenery».

Quale poi potrebbe essere la genesi della corruzione? Potrebbe essere ipotizzabile la corruzione di *pulcram* in *patrum* che, a sua volta, per pura inerzia ha portato con sé la corruzione della parola successiva in un nesso di facilissima combinazione (*patrum matrumque*). L'alterazione di *decoram* in *deorum* doveva poi completare la corruzione generale del luogo.

Su altre lezioni del testo, su cui pur la critica si è accanita, credo non ci sia nulla da cambiare. Non mi soffermo su *inclusa* di v. 81, lezione di Q non bene intesa dagli esegeti[20]: *inclusa*, insieme con *circum*, è da intendere che le pareti del teatro sono chiuse, recintate all'intorno, in modo che attraverso esse nulla trapeli della luminosità esterna (è su questo che Lucrezio vuole insistere, che cioè la luce venga filtrata esclusivamente dal velario). Penso che ben convenga a intendere l'espressione quanto illustrato dal *ThlL* (VII 1, 957, 28-29): «de locis sim., i. q. in se collectus, certis finibus circumscriptus, a libero aëre seclusus» (ma bene pure l'*OLD*, *s. v.*, 2: «shut in on all sides, enclosed»).

Ma anche *volgata* di v. 77 è lezione non esente da inutili proposte di mutamento. Per Watt è da leggere *iactata*, e *volgata* è lezione corrotta da «un inopportuno ricordo» di *volgo* di v. 75[21] (e se, al contrario, fosse una ripresa voluta dal poeta ?). Pure per Delz *volgata* è lezione erro-

---

[20]   Sino alla proposta di leggere *hic clausa* di Butterfield 2009, 112, cui rimando per la discussione di ulteriori numerose incongruenti letture.

[21]   Watt 1990, 122.

nea originata da *volgo*, ma *iactata* di Watt non va bene, in quanto è da leggere *vibrata*[22]. C'è il serio rischio di correggere il poeta. La lezione *volgata* va a pennello nel senso di *volgo* precisato dall'*OLD* (*s. v.*, 2): «to scatter (things) abroad; (perh.) to spread out».

Traduco: «E fanno questo comunemente i velari gialli e rossi e color ruggine quando, stesi su grandi teatri, vibrando ondeggiano spiegati fra pali e travature; giacché allora colorano sotto di sé il pubblico delle gradinate e tutto il magnifico aspetto della scena e l'adorno fondale e li costringono a ondeggiare con il loro proprio colore. E quanto più sono chiuse all'intorno le pareti del teatro, tanto più le cose che sono dentro, inondate dall'incanto delle tinte, sorridono tutte, una volta che hanno tratto a sé la luce del giorno».

*

Lucrezio sta illustrando la teoria dei *simulacra*, di cui i nostri versi vogliono fornire un esempio. La descrizione si inizia con un ondeggiare di velari (*vela flutant*), un ondeggiare che è nello stesso tempo segnato da vibrazioni (*trementia*), da increspature, da rigonfiamenti che si inseguono sul tessuto per quanto ciò è reso possibile dal suo essere spiegato, teso (*intenta*). Ma determinante è l'indicazione del colore del tessuto del velario, volta per volta giallo o rosso o color ruggine[23]. È comunque un grande, enorme tessuto colorato che vibra e ondeggia a opera del vento su un variegato pubblico raccolto nella *cavea* di un teatro e che vi lascia trasparire come attraverso un filtro la luce esterna: un filtro che, a seconda del colore, è in grado di creare riverberi e ombre sempre nuove e diverse, e non solo per i vari tipi di colore e di gradazioni del colore stesso, ma anche perché la luce che proviene dall'esterno (*lux diei*) non è mai identica, ma varia con il variare dei giorni, delle ore, degli istanti.

All'interno, altre fonti di colore: oltre a quella certamente varia del *consessus*, c'è senz'altro la scena con i suoi colori di base e, insieme, con i tanti colori che mutano quando mutano gli scenari.

La luce esterna, sempre nuova e sempre diversa, entra nel teatro attraverso il colore di un velario in perenne vibrazione, vibrazione atta a mutare ombre e sfumature di tinta. Una volta entrata, la luce reagisce sui colori e sul *consessus* e sui vivacissimi colori mutevoli

---

[22]   Delz 1998, 60.

[23]   A proposito delle notazioni di colore nel poema, da non dimenticare il buon contributo di Baran – Chisleag 1968: è argomento che sarebbe da riprendere e approfondire.

della *scaena*. I velari operano su pubblico e scena una sorta di *tinctio naturalis* (*inficiunt*)[24]: alla base di *inficere* è un «mescolare una cosa a un'altra in modo che la seconda prende la forza, il gusto o il colore della prima, e così, se non perde del tutto la sua natura, almeno la modifica»: il Georges non poteva essere più preciso[25]. Viene tuttavia da domandarsi perché i *vela* non solo *inficiunt* la platea e la scena, ma le 'costringono' a ondeggiare con il loro proprio colore (*coguntque suo fluitare colore*). Bene rileva West che *fluitare* è verbo usato propriamente per l'acqua[26]. Qui, comunque, è detto «de rebus corporeis» nel senso di «laxe defluere, undare» (cfr. *ThlL* VI 1, 955, 55 ss.), ed è evidente che a far ondeggiare i velari è l'azione del vento. Ma in qual senso dovrà intendersi 'ondeggiare di un colore'?

L'impiego di un verbo piuttosto 'forte' come *cogo* è dettato dalla teoria epicurea dei *simulacra*, quelle sottilissime emanazioni che si staccano dalle cose conservandone la forma esteriore (cfr., pochi versi prima del nostro passo, il v. 69 *...formai servare figuram*); e ciò vale pure per il colore (v. 74 *...ipsum quoque saepe colorem*).

È chiaro allora che il vento, movendo il velario, sollecita l'emissione di particelle di colore, 'costringendo' in tal modo l'interno a muoversi tutto in un'oscillazione ove la luce esterna filtrata dal tendone colorato determina sempre nuove tinte e nuove ombre.

Quanto più (*quanto mage*) le pareti[27] del teatro sono tutte serrate, senza infiltrazioni di luce che si aggiungano, alterandola, all'unica fonte luminosa che è quella, colorata, del velario, tanto più (*tam magis*) l'interno rifulge, imbevuto com'è di *lepos*: *perfusa lepore*. In *perfundo* di nuovo una «immagine d'acqua», come nota West[28]. E in effetti *perfundere* vale «aspergere, madefacere», ma in tutta evidenza nel *ThlL* sono gli esempi lucreziani relativi a *perfundere* non «quolibet liquore», ma «luce, colore» (cfr. *ThlL* X 1, 1422, 26 ss.). Certo che si può 'cospargere d'acqua', ma anche 'di luce' (Lucr. 2, 148), 'di colori' (Lucr. 2, 821); di *lepos*, nel nostro caso.

---

[24] Cfr. *ThlL* VI 1, 1412, 12 ss.; l'esempio lucreziano è il primo riportato nella sezione: «infectio efficitur luce, sole sim.».

[25] Georges 2002⁴, *s. v.*

[26] West 1994², 39.

[27] *Moenia* è termine che può riferirsi a muratura come può esser detto «de saepimento ligneo» (*ThlL* VIII 1327, 55-56).

[28] West 1994², 39.

Ora, il *ThlL* spiega *perfusa lepore* con «umbrae coloratae», interpretazione che può, ma non deve sembrare azzardata. Perché qui *lepore* non va inteso come adoperato assolutamente, come molto spesso nelle traduzioni[29]. Molto bene il *ThlL* (VII 2, 1177, 27) intende *lepore* «colorum». Insomma non può trattarsi nel nostro contesto di una generica 'bellezza' per la quale l'interno del teatro risplende (*conrident*, verbo attestato per la prima volta in Lucrezio); non si può intendere *lepore* prescindendo da quanto Lucrezio ha scritto prima, astraendo da un contesto che pone il gioco coloristico in assoluto risalto.

Quale, dunque, il *lepos*? da dove deriva? Lucrezio l'ha detto subito prima: i velari, vibrando e ondeggiando, fanno vibrare e ondeggiare sia il consesso sia la scena, ma dopo averli impregnati del proprio colore (*suo colore*): è un incanto originato dal fluttuare cangiante delle tinte. Quale il colore? Esso è dato dall'incontro della luce del sole con il giallo, con il rosso, con il ruggine del velario. Da dove poi derivi il *lepos* il poeta lo dirà subito dopo: *correpta luce diei*. Una volta che l'interno del teatro ha afferrato, si è impadronito, ha raccolto, dopo essersene impossessato – tale è il valore di *correpta*[30] –, la luce filtrata del giorno,

---

[29] Qualche esempio: «le cose che son dentro, irradiate di gaiezza» (Fellin – Barigazzi 1976[2], 267); «all within laughs in the flood of beauty» (Smith 1992, 283); ma cfr. pure West 1994[2], 39: «everything inside the walls is bathed in their smiling beauty»; traduce liberamente, ma si avvicina all'interpretazione corretta Ernout 1964 II, 9: «tous les objects sont baignés de ces riantes couleurs». Sull'accezione di *lepos* nel nostro passo cfr. Classen 1968, 101: «una luminosità risplendente, meravigliosamente colorata e un'attraente piacevolezza».

[30] Qualche precisazione su *correptā*. Prevale, in varie forme, l'interpretazione di Bailey 1947 III, 1190: «'contracted' by the narrowing of the *moenia*». È l'interpretazione che si riscontra tanto nel *ThlL* (IV 1041, 62), che intende *corripere* alla stregua di *constringere*, quanto nell'*OLD* che, sempre per il luogo lucreziano, spiega (*s. v.*, 8): «to reduce, shorten, diminish». Così, in sostanza, Catrein 2003, 182: «La luce del giorno è 'ridotta' a opera del tendone» (libero ma elegante Ernout: «dans la lumière raréfiée du jour»). Si tratta, penso, di diversi punti di vista da cui si considera una medesima realtà. Ad esempio il Lewis-Short spiega *correpta* con «collected». Una luce 'raccolta', dunque, 'accumulata' in un interno, ma senza che dimentichiamo il valore di *rapio*, di 'afferrare', 'ghermire' e, come conseguenza, raccogliere, trattenere. E allora interpretare *correpta* come 'raccolta entro un piccolo spazio' di Munro 1886 III, 235 vale piuttosto come conseguenza dell'atto di *corripere*. Certo, il velario fa da filtro e, di conseguenza, riduce la luminosità, che tuttavia deve restare considerevole, almeno in relazione a un interno che, altrimenti, non potrebbe in nessun modo *corridere*. Una curiosità (ma significativa): Bruno 1872, 6-7 propone di corrompere *correpta* in *corrupta*.

esso interno viene pervaso da un incanto di onde di colore (i colori dell'interno si mutano a onde per il movimento ondulatorio del velario).

Lo spettacolo che ne deriva è del tutto soggettivo: nel senso che l'interno del teatro è visto così come appare agli occhi di un osservatore. Potremmo arrischiarci a parlare, qui e altrove (specie nel IV libro), di un certo qual 'impressionismo' lucreziano? Penso al *Boulevard des Italiens* o alle varie rappresentazioni del *Boulevard Montmartre* di Camille Pissarro. Meglio dire che la 'pioggia di colore' non è effetto di una soggettiva modalità visiva: nella teoria epicurea i *simulacra* si staccano *realmente* dai corpi. E tuttavia la considerazione teoretica non esclude in nessun modo che l'espressione metaforica lucreziana 'edifichi' un teatro altro, diverso da quello effettivo, quasi il teatro reale venga posto tra parentesi per dar luogo, attraverso il linguaggio, a un'altra dimensione visiva ove tutto è mobile, cangiante, ondulatorio, in un perpetuo avvicendarsi di colori[31].

Ci siamo mossi dalla descrizione di un comune teatro con velario, cavea, scena. Ma la referenza letterale di questo teatro viene a essere in certo senso annullata dagli enunciati metaforici presenti nella sua descrizione. Insomma, voler intendere il teatro descritto da Lucrezio mediante una traduzione letterale di *flutant, inficiunt, cogunt fluitare, perfusa lepore, conrident, correpta*, condurrebbe a un'interpretazione fuori senso, a una autodistruzione del senso. Ma è proprio tale mancanza di senso (qualora si voglia intendere il passo alla lettera) a fare in modo che la prima referenza (= il teatro) venga in certo modo a cadere; meglio, a eclissarsi. Una volta messa da parte la referenza (impossibile) che corrisponde all'esegesi letterale, viene a svilupparsi una referenza nuova. Gli enunciati metaforici, allora, lungi dall'essere semplici artifici ornamentali del testo, lungi dallo svolgere una pura azione emozionale, sviluppano piuttosto una nuova referenza metaforica. Quale referenza può infatti corrispondere a un senso letterale che è reso impossibile dalla presenza di enunciati metaforici?

Al nonsenso dell'interpretazione letterale corrisponde il senso dell'interpretazione metaforica. Certo, in fondo il teatro resta dov'è; ma gli enunciati metaforici si pongono in tensione con tutti gli altri termini

---

[31] Non so se esagero se affermo che l'ultima parola sulla metafora l'ha detta Ricoeur 1981.

contenuti nel passo, alterandoli e descrivendoli di nuovo, disvelando una nuova dimensione del reale.

È insomma una realtà metaforica che viene a crearsi sulle rovine di quella letterale. La trasformazione di un comune teatro in un gioco ondulatorio di luce e di colori che coinvolge, quasi annullandoli, uomini e cose in esso presenti non costituisce un dato oggettivo inteso in maniera positivistica (pur restando oggettiva, nella concezione epicurea, l'emanazione delle particelle colorate), ma neanche una pura visione emozionale. È piuttosto una nuova esperienza del reale che si crea tramite gli enunciati metaforici; è una realtà ridescritta mediante un linguaggio ormai liberato da ogni funzione soltanto descrittiva.

Ad esempio, espressioni quali *cogunt suo fluitare colore*, *perfusa lepore*, *conrident*, *correpta luce diei*, non possono descrivere in modo letterale l'interno di un teatro, ma sono in grado di rendere ciò che metaforicamente è, in una referenza per così dire di secondo grado (quella di primo grado – la descrizione letterale del teatro – rivelatasi impossibile). Soltanto col porre tra parentesi la referenza letterale si istituisce una referenza di secondo grado, quella metaforica, che è un nuovo modo di leggere il reale.

Alla fine, del teatro resta molto poco (ma resta); a dominare è una somma ondeggiante di colori che si trasformano attraverso la luce, quasi eliminando uomini e cose.

Nella poetica lucreziana tale maniera di leggere il reale risponde sia all'esigenza di 'verità' sia a quella di rendere la 'transitorietà' di ogni forma.

LA CONCLUSIONE DELL'OPERA

La sezione finale del VI libro del *De rerum natura* costituisce tuttora un enigma per la critica lucreziana: «Che un poema di una così vasta e nobile visione dovesse concludersi con la paura, lo squallore e le brutture della peste di Atene è uno dei grandi problemi interpretativi della letteratura latina e il problema più serio del *De rerum natura*»[1]. Ciò che imbarazza è la sua stessa presenza alla fine del poema. Al riguardo, non avrei dubbi sul fatto che la narrazione dell'epidemia costituisca il vero e proprio finale del poema (cfr. *infra*). Numerosi i tentativi di motivare tale *presenza*, per di più in una sezione nevralgica dell'opera. Ci troviamo di fronte a un Lucrezio, pur possente interprete del testo tucidideo, del tutto insolito: un Lucrezio senza didassi, senza commento filosofico; un fine interprete di Tucidide, autore che segue anche nell'ordine espositivo dei fatti e delle analisi, ma che non inserisce il tutto entro la struttura concettuale del messaggio liberatorio di Epicuro; un Lucrezio

---

[1] Sono parole di Segal 1998, 11, che per altro fornisce un'improbabile interpretazione dell'episodio della peste, che rappresenterebbe in maniera allegorica l'Atene e la vita morale prima di Epicuro per una umanità che necessita della curativa θεραπεία del filosofo greco (257-267). La critica della città di Atene prima dell'avvento di Epicuro compare a più riprese nella critica lucreziana. Così, Foster 2009, 390 rileva che quella di Lucrezio è un'Atene preepicurea, e quindi immersa nell'ignoranza, in quanto esistita «before the invention of the *vera ratio*»; cfr. ancora Foster 2011 su scarsamente verisimili implicazioni politiche soggiacenti alla rappresentazione lucreziana della peste. È evidente che, *dopo* la rivelazione della *vera ratio*, la peste, con il sostegno della filosofia epicurea, sarebbe stata tutt'altra cosa, quasi un'influenza stagionale. È appena da ricordare che Minyard 1985, 60 considera l'episodio della peste alla stregua di una satira contro la vita degli Ateniesi, ovviamente prima della comparsa di Epicuro e della sua parola di salvezza: «L'umanità è in attesa di Epicuro e della sua verità».

anomalo, privo di ogni allettamento psicagogico, di ogni (pur sua, peculiarissima) volontà di persuasione.

Il quadro critico relativo all'interpretazione dell'episodio è complesso, variamente articolato, ma, per un verso o l'altro, insoddisfacente. Cominciamo con uno sguardo rivolto al modello, al testo di Tucidide (molto utilizzato per i confronti senza prima venir esaminato per se stesso). È in primo luogo da rilevare un profondo pathos nella descrizione tucididea della peste nell'Attica (2, 47-54). Nella resa lucreziana l'elemento patetico si fa certo più intenso e esplicito. Ma non è lecito continuare a contrapporre la forza emotiva dei versi lucreziani alle presunte fredde, obiettive, 'scientifiche' pagine di Tucidide. Può in effetti risultare forviante individuare nello storico greco un'autentica formazione medica di natura ippocratea[2]. Si potrebbe affermare il contrario, stando all'autorevole parere di Galeno (7, 854 K.): Θουκυδίδης μὲν γὰρ τὰ συμβάντα τοῖς νοσοῦσιν ὡς ἰδιώτης ἰδιώταις ἔγραψεν, Ἱπποκράτης δὲ <ὡς> τεχνίτης τεχνίταις («Tucidide infatti riportò quanto accadeva ai malati come un profano che scrive per profani; Ippocrate, invece, come un esperto che scrive per esperti»)[3]. Cogliendo la sostanza del netto giudizio di Galeno, si potrebbe affermare che Tucidide, dovendo trattare un argomento come la peste, ha per certo adoperato la corrente terminologica medica, ma in maniera lontana dall'argomentare tipico della trattazione medica. Né la narrazione tucididea poteva ridursi a un'esposizione scientifica[4] senza tener conto dell'ampio, anche se colto, pubblico dei destinatari, i quali male avrebbero tollerato l'inserzione di un brano di tenore 'specialistico' nel contesto drammatico, espressivamente teso, spesso 'epico' dell'opera[5].

È merito di Parry[6] di aver dimostrato non solo che non esistono strette affinità tra la narrazione tucididea e gli scritti tecnici di medici-

---

[2]   Come nel pur pregevole contributo di Page 1953. Tra l'altro il Page (110-119) si sofferma nel tentativo di ricercare l'effettiva natura patologica della 'peste' (morbillo?). La questione è probabilmente inutile e certo senza risposta, nonostante la copiosa bibliografia al riguardo (mi limito a rimandare a Holladay – Poole 1979).

[3]   Un parere che espone in forma sintetica quello che doveva essere il contenuto sostanziale del Περὶ τοῦ παρὰ Θουκυδίδῃ λοιμοῦ (cfr. Kudlien 1971).

[4]   Sulle eventuali finalità 'terapeutiche' che si sarebbe prefissato Tucidide nella descrizione dell'epidemia, equilibrata la posizione di Fantasia 2003, 433-435.

[5]   Per la bibliografia al riguardo, mi piace rimandare al solo Περὶ τοῦ Θουκυδίδου χαρακτῆρος di Dionigi di Alicarnasso.

[6]   Parry 1969. Buoni rilievi pure in Morgan 1994.

na, ma anche di aver posto in luce la tensione drammatica dei capitoli sulla peste, sottraendoli ai rigidi schemi della trattatistica scientifica: «Lo stile di Tucidide è corretto dal punto di vista grammaticale, ma tende a forzare i confini della grammatica greca. È uno stile drammatico e ricco di immagini, regolato dal principio alla fine dalla ferma intenzione dello scrittore di mostrare il terribile e opprimente potere della malattia. La costruzione delle frasi è variata, e spesso contiene possenti e inaspettati verbi in posizione enfatica o dopo una sequenza in gradazione ascendente che si risolve in una sintesi epigrammatica» (Parry 114). Non solo, ma è un πάθος quello in cui gli Ateniesi piombano e vengono tormentati (2, 54, 1 Τοιούτῳ μὲν πάθει οἱ Ἀθηναῖοι περιπεσόντες ἐπιέζοντο), e la guerra del Peloponneso conobbe tante disgrazie (παθήματα) per l'Ellade quante mai vi erano state in uguale periodo di tempo (cfr. 1, 23, 1), e il danno maggiore, che distrusse parte considerevole della popolazione, fu l'epidemia di peste (ἡ λοιμώδης νόσος: cfr. 1, 23, 3). Ed è proprio nella descrizione della pestilenza che il linguaggio di Tucidide acquista un «unique and almost apocalyptic poetic power». Dopo aver letto il testo di Tucidide, anche alla luce delle considerazioni del Parry, possiamo concludere che il genio poetico di Lucrezio non dové contrapporsi a un presunto stile neutro, algido nel suo rigore scientifico, ma dové avvertire l'intrinseca drammaticità, il pathos acuto delle pagine tucididee.

Ma la narrazione dell'epidemia in Tucidide non è soltanto concentrazione e pathos espressivo. Essa riveste un ruolo di primo piano nell'architettura ideologica dell'opera storica. Oltre che costituire quasi un preavviso della futura rovina, la peste si pone come il contraltare dell'*Epitafio* di Pericle per i caduti nel primo anno di guerra (2, 35-46)[7], preceduto da solenni esequie per i morti (34) cui si contrapporranno l'orrore e l'obbrobrio dei funerali nel corso della pestilenza (2, 52). Come è noto, l'epitafio pericleo riassume le supreme idealità della civiltà creata da Atene, il culto del bello e della sapienza e, prima di ogni altra cosa, della libertà congiunta alla virtù nella compartecipazione al bene comune. Un ideale ispirato a una razionalità illuminata che Tucidide dové avvertire come valore universale e imperituro nonostante la rovina successiva di Atene. A questa città, modello esemplare per tut-

---

[7]   Cfr. Winton 1992, 204: «I believe that if in the Funeral Speech we are dealing with the *invention* of Athens, the account of the plague portrays the *inversion* of Athens».

ta l'Ellade, si contrappone la stessa Atene precipitata nell'irrazionalità della peste, una 'irrazionalità' di fatto cui Tucidide aggiunge impietosamente il ritratto di cittadini preda di un passionale, bestiale degrado. All'insegna dell'imprevedibile, dell'assurdo. Fatto è che alla base dell'opera storica tucididea si sviluppa una concezione di fondo (cfr. 1, 22, 4): la storia è opera della γνώμη, è opera umana, e la natura umana tende a ripetere le medesime azioni e, in quanto tale, è prevedibile. E tuttavia si verificano nel corso della storia eventi assolutamente imprevedibili, in contrasto totale con la γνώμη. La peste è tragico esempio dell'irrompere massiccio dell'irrazionalità nella storia (il termine "tragico" non è casuale: Tucidide ama intensificare con toni da tragedia il rigore concettuale). Né il discorso di Pericle, con la sua impeccabile razionalità, nel suo intento quasi di determinare o almeno di controllare il processo degli eventi, può alcunché contro l'opera di una forza che per convenzione può chiamarsi τύχη. È lo stesso Pericle che, nel suo ultimo discorso (2, 61, 3), parla di eventi improvvisi, inaspettati, che colgono con assoluta sorpresa (τὸ αἰφνίδιον καὶ ἀπροσδόκητον καὶ τὸ πλείστῳ παραλόγῳ συμβαῖνον) e tra questi cita sopra tutto la peste (ὅ ἡμῖν πρὸς τοῖς ἄλλοις οὐχ ἥκιστα καὶ κατὰ τὴν νόσον γεγένηται). Pericle morì di peste nel 429.

A un poeta filosofo come Lucrezio non solo non doveva sfuggire la dimensione concettuale e contestuale della narrazione tucididea, ma ancor più doveva averne avvertito il pathos e la drammaticità[8]. E tuttavia

---

[8] Solo per erudizione del lettore riporto alcune (discutibili) ipotesi sulle fonti lucreziane: per Ernout – Robin 1962[2] III, 351 forse solo indirettamente Lucrezio si è ispirato alla narrazione tucididea: il passo 'ippocrateo' (6, 1182-1195) può spiegarsi solo con l'esistenza di un intermediario che aveva già creato una tale compilazione; senza dubbio, un intermediario romano (così Robin, 360). Direi che è impensabile che Lucrezio non abbia avuto dinnanzi a sé in maniera diretta il testo di Tucidide; e invece non riterrei che Lucrezio abbia attinto direttamente a Ippocrate (nel passo sono presenti riferimenti a varie opere del *Corpus*), quanto piuttosto a un manuale di medicina, per certo di 'scuola ippocratica'. Ancora: per la peste Diels 1920, 17-18, ritiene che Lucrezio si sia rifatto a un commento di Demetrio Lacone a Ippocrate. Pure Lück 1932, 163 ss. pensa a un intermediario, fondandosi sull'argomento (assai debole) che Lucrezio, a differenza di Tucidide, non inserisce la descrizione della peste nel contesto della guerra. Ad Asclepiade di Prusa (medico greco di formazione epicurea che visse a Roma nella prima metà del I secolo a. C.) come fonte di Lucrezio pensa Pascal 1903, 209-212, dal momento che entrambi concordano sulla causa (piuttosto generica, in verità) dell'origine della peste (cfr. Cael. Aur. *acut.*, I, *praef.* e 2, 39). Piuttosto banale mi sembra l'intento di Stoddard 1996, 108 di «voler dare una risposta

il Clay (e prima e dopo di lui tantissima parte della critica lucreziana) insiste sulla "oggettività" di Tucidide, ponendola agli antipodi dello stile patetico e emozionale di Lucrezio: «Thucydides... is infinitely more clinical, distant, and impersonal than Lucretius»[9]. Per Clay, Lucrezio intende coinvolgere il lettore come spettatore attivo nella tremenda descrizione dell'epidemia che, pertanto, costituirebbe un test per chi voglia verificare se ha autenticamente assimilato il verbo di Epicuro. La dottrina del maestro dovrebbe allora consentirgli di poter contemplare tutte le cose, pure le più terribili, *placata mente*. Insomma, una sorta di "esame finale" per il lettore allo scopo di accertare se è in grado di mantenersi in uno stato atarassico di fronte a orrori ripugnanti[10].

Ebbene, per coinvolgere in modo diretto il lettore, Lucrezio, secondo Clay, si avvarrebbe dell'uso, a più riprese, della seconda persona singolare del verbo, del tipo *posses... videre* di v. 1257 ("avresti potuto vedere" i corpi senza vita di genitori...) o l'analogo *videres* di v. 1268 ("avresti potuto vedere" membra orride per lo squallore...); e così pure *nec... posses... tueri* di v. 1163, *nil... posses... / vertere* dei vv. 1170-1171 (Clay 262; 343 n. 223). Non enfatizzerei l'impiego della seconda persona. È un 'tu indeterminato', un imperfetto congiuntivo di rigore nelle formule potenziali con valore impersonale (= "si sarebbe potuto vedere")[11]. A parte questo, la tesi di Clay è, nel suo complesso, insostenibile. Lucrezio avrebbe composto la descrizione della peste nell'Attica perché un seguace di Epicuro (naturalmente dotto sino al punto di essere capace di istituire un confronto tra il testo latino e quello greco) potesse servirsene per misurare il suo grado di assimilazione della filosofia

---

al problema del perché Lucrezio abbia scelto di modellare la sua peste su quella di Tucidide» (nell'antichità quella descritta da Tucidide era *la peste* per eccellenza!). Poco più che una illustrazione continuata offre Fratantuono 2015, 457-473, basata molto spesso sul commento esplicativo di Godwin 1991, 172-185.

[9]   Clay 1983, 262. Altro esempio, quasi a caso: «i rilievi di Tucidide, oggettivi e privi di pathos» (Müller 1978, 220).

[10]   Accoglie la tesi del "test finale", proposta da Clay, Stover 1999. Per di più, dopo l' 'illuminazione epicurea' che elimina ogni aura di mito dai fenomeni della natura, la narrazione della peste, secondo Stover, non può che offrire al lettore altro che conforto e sprone, «some consolation» (!).

[11]   In maniera imprecisa credo si esprima, al riguardo, Clay 1983, 343 n. 223: «Lucretius engages his reader in this spectacle by his use of the imperfect subjunctive, which serves elliptically as the conclusion of a condition contrary to fact *in present time*».

liberatrice del Giardino. Quella di Clay sembra, dopo tanti tentativi di interpretazione della "peste" in Lucrezio, una tesi 'estrema' per giustificare una presenza, per così dire, 'ingombrante' alla fine del poema[12].

A che cosa mira quel dispendio di particolari macabri, talora nauseanti, quello scenario di folle disperazione di un'umanità straziata e ridotta a una condizione ferina? Forse che il pathos lucreziano era in grado di ridurre i contorni di una sofferenza intollerabile che *tale* doveva essere stata nella realtà dei fatti? Intendeva forse Lucrezio liberare l'uomo dalla paura della morte mediante uno spettacolo atroce di morte? La critica in vario modo propone richiami al III libro, alle martellanti prove che dopo la morte nulla esiste e dunque nulla è da temere. E al termine del poema Lucrezio avrebbe proposto al suo lettore un test sostanziato di immagini disgustose di morte per misurare il livello della sua atarassia? O che l'atarassia epicurea si sarebbe potuta conservare in mezzo a quel delirio di corpi sofferenti? Si afferma ampiamente nella critica lucreziana l'ipotesi che il poeta avrebbe opposto al proemio del I libro (e dell'intero poema)[13], e cioè all'inno a Venere datrice di vita, ove la dea sarebbe *simbolo* delle forze creatrici della natura, il quadro di morte e disperazione della peste, finale dell'opera. Peccato che Lucrezio, poeta 'didascalico' per eccellenza nella sua altissima tensione poetica e dottrinaria, avvezzo a dimostrare, confutare, motivare (si pensi solo alla 'narrazione commentata' della storia del genere umano nel V libro), abbia inteso concludere la sua opera liberatrice con un desolato quadro di morte (al contempo una finissima interpretazione di Tucidide!) di ben 149 versi, ove i particolari macabri e disperati si accavallano senza alcuna luce di illustrazione didattica e filosofica. Oltre tutto, logica vorrebbe che da un quadro negativo si passasse, tramite

---

[12] Altra ipotesi 'estrema' è quella di Elder 1954, 93: «Mi domando se Lucrezio possa non aver voluto in maniera deliberata concludere con la deprimente descrizione della peste, così violentemente in contrasto con il primo e sesto proemio, allo scopo di indurre gli uomini alla conversione alla 'vera religione' attraverso il collaudato metodo di spaventarli». Insomma, uno spauracchio al termine di un poema che ha come fine quello di liberare l'umanità da ogni paura.

[13] Secondo Minadeo 1969, 11, ad esempio, il poema sarebbe strutturato secondo cicli di creazione e di distruzione: «Cominciando con l'inno a Venere come forza creativa della natura e concludendo con la lunga descrizione della peste d'Atene, l'opera descrive in tutta evidenza come suo scopo finale il ciclo di creazione e distruzione nella natura... È proprio nel comprendere il nesso di questo ciclo con la poesia che il progetto, le intenzioni e il proposito di Lucrezio vengono finalmente alla luce».

l'esposizione della dottrina liberatrice di Epicuro, a un finale grandioso e positivo, inneggiante alla luce e alla pace dell'anima. Lo stesso può dirsi del contrasto che la critica, concorde, ravvisa, nell'ambito del VI libro, tra lo spettacolo raccapricciante della peste a Atene, posto nel finale, e le entusiastiche lodi della medesima Atene nel proemio, ove la città è esaltata per aver dato agli uomini tre benefici: le messi, le leggi e, prima di ogni altra cosa, l'insegnamento di Epicuro. Anche qui la conclusione in negativo resta un problema (= a rigor di logica si pone prima la difficoltà, per poi risolverla alla fine) e mettere in rilievo 'corrispondenze' non giova certo alla comprensione. Semmai può sollecitare interpretazioni pessimistiche della poesia di Lucrezio, che nuocciono gravemente all'individuazione corretta della struttura concettuale del poema, fraintendendo i fondamenti stessi della filosofia epicurea e lucreziana. Una parte significativa della critica ha fondato la sua interpretazione su una presunta nevrosi di fondo del poeta (che trova le sue radici nelle notizie biografiche geronimiane) che si sarebbe progressivamente aggravata. Inutile ricordare qui una bibliografia ben nota[14]. Mi limito a ricordare un passo tratto dall'illustre commento del Giussani[15]: «la chiusa attuale... risponde così bene a quella tragica antinomia che noi sentiamo profonda tra la dottrina epicurea e il carattere del poeta, le sue sventure, l'amarezza degli ultimi tempi di sua vita, che più probabile appare la supposizione che Lucrezio, di proposito, smettesse il pensiero di coronar l'opera sua col quadro della beatitudine divina, e vi sostituisse codesto della umana miseria». Né, d'altro canto, legittima appare la tesi contraria che vuole ravvisare nel *De rerum natura* una sorta di ottimismo[16]. Difficile è, ad esempio, seguire il Giancotti che, coerente con la sua tesi che individua nel poema un "ottimismo relativo" (fondato su una visione umanistica dell'individuo protagonista del proprio destino), scorge nel libro VI, compreso l'episodio della peste, «versi che emanano un senso di giocondo vigore, di esultante comunione fantastica con la natura»[17], ove il «commescersi degli atomi

---

[14]   Un 'classico' in questo senso è costituito dal pur bel libro di Perelli 1969.

[15]   Giussani 1959[3], 20.

[16]   Non appaia fuor di luogo (e di tempo) accennare a una 'datata' contrapposizione interpretativa (pessimismo *vs* ottimismo). La tesi del pessimismo conosce tuttora consistenti residuati critici.

[17]   Giancotti 1960, 197: nell'episodio della peste è presente, per G., una antinomia «tra il poeta epicureo e l'umanità non epicurea» (202); la luce di Epicuro, esaltata

accomuna i varî esseri in una confortante comunione, in cui scompare la desolante solitudine dell'uomo di fronte al cielo arcanamente incombente; in cui ogni solitudine individuale si annulla e si risolve in una universale fratellanza. Resta, sì, la distruzione; resta la morte, ma come effetto e, insieme, causa della vita». Occorre grande coraggio per riferire questi rilievi all'orrido quadro fisico e morale dell'umanità straziata dalla pestilenza.

La tesi oggi forse più seguita è quella che intende interpretare l'episodio della peste in chiave di simbolo: i mutamenti che Lucrezio apporta a Tucidide non derivano da fraintendimenti del testo greco da parte del poeta latino[18], ma sono da intendere come trascrizione lucreziana dei fenomeni fisici in termini morali e psicologici. Dopo alcuni cenni in Elder[19], la più compiuta formulazione di questo indirizzo critico è da ravvisare nel Commager, che individua nella peste lucreziana «an emblem of mental or psychological states»[20]. Più esplicitamente (111): «La scoperta lucreziana, nella pura descrizione tucididea dei fatti, di particolari situazioni che avevano per lui ricchezza di riferimenti simbolici, può averlo influenzato, consciamente o inconsciamente, a trattare l'intera peste come, in certo senso, una metafora della vita»[21]. E dunque la peste lucreziana contrapposta alla (presunta) oggettività tucididea; la peste come "metafora della vita" (una vita in ogni senso disgraziata; o si riaffaccia qui la tesi del 'pessimismo' lucreziano?); per di più, per Commager, si è trattato di una resa simbolica, da parte di Lucrezio, realizzata non si sa se in maniera conscia o inconscia. Alla

---

nel VI proemio, è infatti anteriore allo scatenarsi della peste nel 430 (posizione ribadita ancora in Giancotti 2009, 20-29).

[18]   Tesi ampiamente seguita un tempo: cfr., ad esempio, un Lucrezio che «più di una volta fraintende e travisa le parole di Tucidide» (Munro 1886⁴ II, 395) e, *passim*, Bailey 1947 III, 1723-1744, pagine preziose che in maniera completa raccolgono i confronti tra Lucrezio e il suo modello greco (utili confronti tra i due testi, al di là di singoli punti di dissenso, in Bollack 1978, 417-455; per la Bollack, 466 «La Peste doit son horreur particulière au fait qu'elle ne tient à rien et ne conduit à rien, qu'elle est un accident, une épidémie subite».

[19]   Elder 1954, 92: «il più singolare esempio di spostamento dal piano fisico a quello metafisico è da vedere nella descrizione della peste di Atene».

[20]   Commager 1957, 109.

[21]   Più circoscritto il simbolismo riscontrato da Schrijvers 1970, 315: «la descrizione lucreziana della peste serve a simbolizzare non l'esistenza umana in generale, ma la vita dei non epicurei». C'è chi fa notare che «l'epidemia si diffuse a Atene prima di Epicuro» (Clay 1983, 343 n. 227).

perplessità che può suscitare tale rilievo accenna lo stesso Commager, ed è opportuno riportare le sue parole: «La mia opinione è che Lucrezio fosse in larga misura inconsapevole della funzione simbolica che la peste poteva svolgere, e per certo non concepì la peste come un'allegoria. Le sue modifiche del testo tucidideo sono da intendere più come una testimonianza delle tendenze della sua immaginazione che come il risultato di un qualche piano elaborato che il poeta si sia consciamente imposto. Io dubito che i suoi lettori fossero consapevoli dei cambiamenti, o che guardassero alla peste come qualcosa di più che come un resoconto dei fatti»[22]. Curiosa questa 'produzione inconscia' per lettori inconsci. Il messaggio di Epicuro vi scompare, e la descrizione della peste diviene materia inerte. Tranne poi a concludere il contributo in questo modo: «The architecture of the poem culminates here, as the various perceptions of man's folly unite in a final despairing integrity of vision». E dunque l'episodio della peste è da intendere come il punto culminante dell'intero poema ove le varie espressioni dell'umana follia trovano la loro unità in una finale disperata completezza di visione. E così si ripropone l'interpretazione pessimistica del *De rerum natura*[23].

Solo rapidamente, qualche esempio per mostrare come certe 'intensificazioni patetiche' lucreziane siano state enfatizzate. Commager rileva[24], accogliendo l'interpretazione ancora oggi comune, che *cor* a v. 1152 sia errata traduzione del καρδία di Tucidide 2, 49, 3, «which means stomach» (secondo il parere corrente, la bocca dello stomaco). Non è detto. Per il testo tucidideo (ὁπότε ἐς τὴν καρδίαν στηρίξειεν, ἀνέστρεφέ τε αὐτήν) Page (cui rinvio per una lettura diretta e completa) rileva[25] che il significato normale di καρδία nei medici è "cuore", non "stomaco", e che è questo il senso che viene recepito da Tucidide («the normal medical sense of this word, 'heart', is applicable to Thucydides»). Da leggere anche un rilievo di Craik[26]: «l'uso più comune del termine *kardia*... è per indicare una zona nella parte superiore del

---

22 Commager 1957, 117 n. 23.
23 Anche in un contributo meditato come quello di Arragon 1961 si conclude che il pessimismo proprio della concezione epicurea nei confronti della natura umana diviene tema dominante nel corso del poema (e il quadro della peste è «not the honey of the Muses... to sweeten the bitter draught of Epicurean doctrine»: 388).
24 Commager 1957, 105.
25 Page 1953, 100.
26 Craik 2001, 107.

corpo, dove può accumularsi materia nociva che causa spesso dolore o nausea o una sensazione di bruciore... e da dove può essere evacuata dalla bocca».

Altra opinione molto diffusa, e che Commager accoglie[27], è che, mentre Lucrezio ai vv. 1208-1211 riferisce che per timore della morte alcuni si facevano amputare i genitali, le mani e i piedi, e altri perdevano la vista (*Et graviter partim metuentes limina leti / vivebant ferro privati parte virili, / et manibus sine nonnulli pedibusque manebant / in vita tamen, et perdebant lumina partim*), Tucidide al contrario scrive (2, 49, 8): κατέσκηπτε γὰρ καὶ ἐς αἰδοῖα καὶ ἐς ἄκρας χεῖρας καὶ πόδας, καὶ πολλοὶ στερισκόμενοι τούτων διέφευγον, εἰσὶ δ' οἳ καὶ τῶν ὀφθαλμῶν («colpiva infatti anche i genitali e le estremità delle mani e dei piedi, e molti scampavano alla morte restando mutilati di questi organi, alcuni anche privati degli occhi»). La traduzione, come sempre, è mia; ma spesso στερισκόμενοι viene reso con "perdendo l'uso di"[28]. Con quest'ultima interpretazione è chiaro che Lucrezio contrappone un'amputazione volontaria da parte degli appestati a una semplice 'perdita d'uso' di membra nel testo tucidideo. La 'modifica' lucreziana non può dirsi certa. Già Maas[29] riteneva che στερισκόμενοι alludesse all'amputazione chirurgica delle estremità. Una discussione analitica ci condurrebbe lontano. Mi limito a rimandare al Fantasia[30], che in maniera fondata ritiene che anche Tucidide, con στερισκόμενοι, fa quasi certamente riferimento alla «amputazione delle parti del corpo colpite dalla cancrena». Per quanto concerne la nota 'psicologica' relativa al *metus mortis* di v. 1212 (*usque adeo mortis metus his incesserat acer*) si può dire che una notazione tipicamente lucreziana come la paura della morte sviluppi in maniera più esplicita l'asciutto ma incisivo "sfuggire alla morte" (διέφευγον) tucidideo.

Ciò che può essere affermato con certezza è che il pathos tucidideo è reso più coinvolgente dalla resa lucreziana. Il poeta latino deve aver rilevato il pathos già presente nella narrazione dello storico, e lo ha intensificato secondo le modalità del *vertere* latino: Lucrezio si è comportato né più né meno come si erano comportati i poeti latini arcaici nei confronti dei loro modelli greci. In questo senso l'episodio della peste costituisce, dal punto di vista espressivo, una finissima "traduzione artistica", arricchita da un pathos elaborato dal poeta sulla scia della vetusta tradizione del *vertere* latino[31].

---

[27] Commager 1957, 107-108.
[28] Come Mercier 1974.
[29] In Bailey 1947 III, 1759.
[30] Fantasia 2003, 439.
[31] Mi sia consentito di rimandare a Salemme 1980, 77-87.

Per quanto concerne le notazioni psicologiche che in Lucrezio accompagnano la sintomatologia del morbo, non è da dimenticare che esse sono pur presenti in Tucidide 52 e, ancor più, in 53. Anche da questo punto di vista (morale-psicologico) il testo dello storico greco ha svolto un ruolo di tutto rilievo nella composizione lucreziana. Facile confondere i toni del pathos con l'accentuarsi di un presunto pessimismo lucreziano[32]; facile voler intendere certe intensificazioni espressive come portatrici di simboli (consci o, peggio, inconsci...) in un episodio inspiegabilmente posto quale conclusione di un poema rivolto a mostrare la forza liberatrice del verbo epicureo. D'altra parte riesce difficile accogliere la tesi opposta di un pur fine lettore di Lucrezio, il Ferrarino che, a proposito della peste, rileva che «la tragedia è descritta obiettivamente, con la sola proccupazione patologica e anatomica, cioè della *vera ratio*»[33].

Sulla scia del Commager si pone il Bright[34], che forse presenta le conseguenze ultime di una critica fondata su presunti simbolismi. Solo qualche saggio: la peste è «un paradigma dell'umana sofferenza» (622),

---

[32]   Né di pessimismo si può parlare in Lucrezio né di ottimismo. Il poeta riconosce la *culpa naturae* (la difettosità della natura se considerata dal punto di vista umano) e il dolore degli uomini, ma indica una sicura via di salvezza, che l'uomo *può* conseguire grazie all'atarassia insegnata da Epicuro e alla conoscenza dell'origine di ogni comportamento della natura (né benevola né malevola; soltanto non antropocentrica, né ordinata finalisticamente). Una "pietà dolorosa" nella chiusa del poema ravvisa un Bergson giovane professore di liceo e autore di un'antologia lucreziana (Bergson 2001, 56-57): «Poiché è soprattutto la fatalità delle leggi naturali ciò che l'ha colpito della dottrina degli atomi, il poeta è colto, malgrado la serenità che ostenta, da una pietà dolorosa per questa umanità che si agita senza risultato, che lotta senza profitto, e che le leggi inflessibili della natura trascinano di forza nell'immenso vortice delle cose. Perché lavorare, darsi pena? Perché lottare, perché lamentarsi? Subiamo la legge comune e la natura si occupa poco di noi. Basta che un vento carico di germi velenosi soffi sulla terra e nascerà un'epidemia. Ed è sulla spaventosa descrizione della peste di Atene che termina il poema. Lucrezio ha voluto mostrare l'impotenza degli uomini e degli dèi al cospetto delle leggi della natura, ha voluto che il quadro fosse terrificante, che la tristezza invadesse la nostra anima, e che fosse la nostra ultima impressione». La lunga citazione è giustificata dal nome illustre. Sennonché non credo sia ravvisabile, nell'episodio della peste, alcuna "pietà dolorosa". Lucrezio intensifica il pathos già presente in Tucidide, ma la sua non è una "narrazione sentimentale". La sua descrizione è tanto drammatica quanto spietata.

[33]   Ferrarino 1972, 237. Per altra via Jope 1989 individua nell'intero VI libro e dunque pure nell'episodio della peste un (molto improbabile) "distacco emotivo".

[34]   Bright 1971.

in cui «Ognuno è posto di fronte alla Malattia» (619); «il crollo del sovrano potere della ragione colloca la più grande parte di colpa sull'uomo, piuttosto che sulla natura» (620), e «la morte viene esplicitamente posta in termini di punizione»: «Lucretius' view of history is surprisingly Herodotean here» (619). Strane analogie vengono individuate dal Bright nell'ambito del poema, come quelle tra il proemio al I libro e il finale del poema: ecco dunque che, come la peste è portata dai venti, così l'apparire di Venere nel proemio è indicato (1, 6-7) dalla fuga dei venti e delle nuvole (624); uccelli annunciano l'arrivo di Venere e vengono colpiti dalla sua potenza (1, 12-13) così come uccelli (6, 1216 ss.) «vengono per prima colpiti dal contagio letale» (625); incredibile: come Agamennone si castra simbolicamente tramite l'uccisione della figlia, precludendosi in tal modo ogni posterità (vedi l'episodio del sacrificio di Ifigenia), così, nella descrizione finale dell'epidemia, alcuni appestati si evirano per timore della morte («they castrate themselves»), e con questa autocastrazione «rendono sicura la loro estinzione con la mancanza di progenie» (627). L'episodio della peste si pone per Bright come «a final myth»[35] che riunisce i fili conduttori dell'intero poema. Come 'corollario': «Se la tradizione del suo suicidio non è vera, per certo il sesto libro ce ne dà la ragione».

Non è tuttavia da trascurare il fatto che nell'articolo di Bright sono presenti alcuni costruttivi contributi. Prendiamo le mosse da un problema di fondo. È stato più volte rilevato che la conclusione del poema, così come è trasmessa dai codici (vv. 1285-1286 ...*multo cum sanguine*

---

[35] Anche Gale 1994, 225-231 parla, a proposito della peste, di un «regno senza tempo del mito», di un «mito epicureo senza dèi e senza eroi»; la peste è «simbolo della vita dei non epicurei»; dopo la sua descrizione il lettore non rimane senza conforto, dal momento che è stimolato a riprendere la lettura del poema dall'inizio (una curiosa 'psicologia del lettore' che la Gale mutua da Schrijvers 1970, 324: «N'est-il pas le but que Lucrèce a voulu atteindre avec ce finale: inciter le lecteur à recommencer la lecture du poème?»); la peste, che conclude l'opera, si pone in funzione dialettica con il proemio, e possiede «a protreptic function» (oltre che quella di test per il lettore: cfr. Clay 1983): «l'incantevole Venere attira il lettore con il suo *lepos*, la peste gli ricorda gli orrori della vita non epicurea». La Gale fonde insieme varie suggestioni critiche. Ma non è piuttosto difficile individuare nel finale del poema un simile ingorgo di simboli? E poi, se pur si volesse ammettere con la Gale un uso 'epicureo' del mito (che verrebbe impiegato per la sua forza d'attrazione per venir subito dopo ricondotto alla *vera ratio*) come si fa a dire che la peste è un "mito"? Che cosa ha di mitico l'epidemia che si abbatté su Atene nel 430? Che cosa c'è di mitico nella fonte di Lucrezio, uno storico di tutto rigore?

saepe / rixantes potius quam corpora desererentur), è del tutto brusca, e propria di una narrazione non conclusa. Accenno appena alla più che nota tesi del Bignone[36]: il libro sesto è incompleto; avrebbe dovuto infatti, come Lucrezio avverte al v. 155 del libro quinto (*quae tibi posteri-us l a r g o s e r m o n e probabo*), comprendere un'ampia descrizione delle dimore beate degli dèi; d'altra parte lo stesso Epicuro aveva concluso il suo Περὶ φύσεως con l'illustrazione dei benefici che i mortali traggono dalla riflessione sulla natura degli dèi. Elemento di unione tra l'episodio della peste d'Atene e la descrizione della vita beata degli dèi sarebbe per Bignone il concetto di isonomia, in base al quale le infinite forze distruttrici si bilanciano con quelle ricreatrici e conservatrici, pure infinite; ora, nella peste prevalgono le forze di distruzione, laddove nelle divine dimore vige l'equilibrio perfetto tra le forze disgregatrici e quelle conservatrici, né può penetrarvi morbo alcuno. A parte che la "storia della civiltà" descritta nel quinto libro sarebbe forse stata la sede più idonea per trattare la teologia epicurea[37], è facile con il Boyancé[38] obiettare alla tesi del Bignone che sarebbe veramente difficile contrapporre alle forze di distruzione quelle divinità che nel pensiero di Epicuro erano proposte come modello di imperturbabilità, e quindi di totale indifferenza nei confronti di quanto avviene nel cosmo (= non conservano e non ricreano alcunché).

Riterrei che l'episodio della peste non preluda a altra trattazione, e che costituisca l'autentico finale del poema. Dal punto di vista struttu-

---

[36] Bignone 1945, 195-196; 318-322. Per altra via Sedley 1998 (specie 160-165) parla di 'incompiutezza' del poema: Lucrezio, al momento della morte, non aveva ancora portato a termine la ristrutturazione relativa ai libri IV-VI, e quindi pure il finale del poema non è ora come il poeta lo avrebbe lasciato dopo la sua (mancata) riorganizzazione. È difficile seguire il Sedley quando prospetta che alla narrazione della peste doveva seguire l'esplicazione del quarto "quadruplice rimedio" (τετραφάρμακον), quello della sopportabilità del male.

[37] Così Müller 1978, 218. Per quanto concerne l'interpretazione dell'episodio della peste il Müller rileva che esso è strategicamente posto nel finale dell'opera, perché chiunque abbia assimilato i principi della filosofia epicurea possa contemplare la storia del disastro nella sua giusta luce (220); solo gli illuminati dalla parola di Epicuro possono guardare ogni calamità con mente serena. Ma allora perché Lucrezio, sempre attentissimo nel dirigere la mente dell'interlocutore secondo le linee maestre della *vera ratio*, proprio nell'ultimo, possente squarcio del poema non si prende la cura di avvertirlo, di guidarlo nell'intelligenza di un fatto così ripugnante per i sensi e per la mente come la peste? Sarebbe facile sottintenderlo? Direi proprio di no.

[38] Boyancé 1970, 299.

rale le pestilenze (e le malattie in genere) vanno inquadrate nel contesto generale del libro VI: la peste, in quanto epidemia, rientra in quei fenomeni della *vis naturae* che poi trovano il loro inquadramento nella *summa* di tutte le cose. Ma altro è riconoscere che le epidemie in quanto tali rientrano in un piano organico, altro è invece affermare che un argomento, che avrebbe potuto essere considerato concluso con il v. 1137 (da v. 1090 a v. 1137 è infatti la spiegazione della natura dei morbi), prosegua invece con un episodio, appunto quello della peste d'Atene (vv. 1138-1286), del tutto esorbitante rispetto alla struttura generale del libro. Diciamo allora che la peste, considerata come un esempio di epidemie, rientra nel serrato discorso logico del libro; considerata come episodio, è invece senza dubbio eccedente rispetto a esso, specie se consideriamo la particolare lunghezza del brano e la mancanza di didassi sia nel corso della descrizione sia nella conclusione. L'episodio della peste, allora, proprio per motivi strutturali costituisce un vero e proprio "finale".

Ciò posto, torniamo al Bright, che in maniera persuasiva, a mio avviso, ovvia alla 'chiusa' eccessivamente brusca del v. 1286 con la trasposizione dopo questo verso dei vv. 1247-1251[39], che sarebbero così la vera conclusione del poema. Veramente, là dove si trovano, i vv. 1247-1251 «sono semplicemente una inutile infiorettatura che interrompe il fluire della narrazione; posti alla fine, rinforzano tutto ciò che precede» (Bright, 623). Insomma, con questa trasposizione si salva la coerenza lucreziana nel seguire l'ordine dei fatti così come viene proposto da Tucidide. I versi in questione presentano una sostanziale corrispondenza con le ultime parole di Thuc. 52. In particolare, *redibant* di v. 1248 corrisponde in maniera molto significativa al finale ἀπῇσαν di Thuc. 52, 4. A differenza, infine, del v. 1286, l'allitterante v. 1251 ha tutte le caratteristiche per costituire un verso 'finale' di un episodio, di un poema: cfr. vv. 1250-1251 *...quem neque morbus / nec mors nec luctus temptaret tempore tali.*

---

[39] Rimando alla lettura diretta di Bright 1974, 620-623. A proporre la trasposizione fu Bockemüller 1874, 279, seguito da Martin 1963[5]. Munro 1886[4] I pose una lacuna dopo il v. 1246, accolta dalla maggior parte degli editori. A favore della trasposizione pure Fowler 2007, che rileva come il finale di Lucrezio sia privo di una conclusione tipica della poesia didascalica (217), e dunque sia «open-ended» (232), e che in esso la tradizione iliadica può aver esercitato una sua influenza («Entrambe le opere terminano con riti funebri, probabilmente la forma più comune di chiusura»; ma il confronto, per ovvi motivi, resta molto poco convincente). Contro la trasposizione cfr. Butterfield 2014, 20-22.

Una presenza di tutto rilievo, dunque, quella di Tucidide in Lucrezio. Resta da motivare la *presenza* di questo pezzo d'opera nel contesto (e, ancora più, come conclusione) del poema e il suo inquadramento nel sistema concettuale della filosofia epicurea. Non ci riferiamo ancora all'aspetto teorico. Ma spunti provenienti direttamente da Epicuro non dovevano mancare nella lucreziana descrizione della peste. Un'ipotesi di Woltjer[40], mai più ripresa (per quanto mi risulta), suppone che fonte di Lucrezio per la narrazione della peste sia stato lo stesso Epicuro che, a sua volta, avrebbe tenuto presente, con modifiche sue, il testo di Tucidide. Formulata così, la tesi risente del vecchio metodo della germanica "ricerca delle fonti" (una sorta di ricostruzione di un 'archetipo'). Non si può affermare che Epicuro nutrisse grandi interessi nei confronti delle rielaborazioni letterarie. Ma qualcosa doveva pur esserci nel suo libro Περὶ νόσων δόξαι πρὸς Μιτρῆν[41], che figura nell'elenco di Diogene Laerzio (10, 28). A ciò è da aggiungere una determinante testimonianza contenuta nel fr. 18 Arr.² (= Dem. Lac. *inc. op.* Pap. Herc. 1012 col. 22 p. 33 De Falco = col. XXXVII Puglia):

καὶ λέγων ὡς ὁ Ἐπί-
[κουρος ἐν τ]ῶι Περὶ νόσων
5   [καὶ θα]νάτου...

Insomma, in un trattato sulle malattie, sulle epidemie, è impensabile che Epicuro non abbia incluso la peste e che Lucrezio abbia ignorato proprio quelle pagine. Certo, è un'ipotesi. Ma resta un'ipotesi con solido fondamento, che ribadisce in altro modo e per altro verso la stretta dipendenza di Lucrezio dal maestro. Non sappiamo come Epicuro nell'opera inquadrasse le malattie, ed è inutile avanzare supposizioni, anche sulla base di quanto di lui ci resta. Con ottima probabilità Epicuro doveva conoscere la narrazione tucididea; potrebbe pure in qualche modo averla richiamata nel suo libro; quel che mi pare del tutto improbabile è che Epicuro possa aver elaborato una parafrasi del testo tucidideo.

A ogni modo, Tucidide resta la fonte assolutamente predominante nella descrizione lucreziana. Ma nel poeta latino l'irrompere della peste

---

[40]   Woltjer 1877, 159-160.

[41]   È emendamento, che può dirsi certo, di Gassendi per νότων (= *Sui venti del sud*: così ancora in Usener). Il titolo restituito è Περὶ νόσων καὶ θανάτου.

non è all'insegna dell'irrazionale. Che un'epidemia si diffonda è fatto del tutto *naturale*, conforme al manifestarsi di una *vis* che proprio non ha come scopo quello di giovare all'uomo (e neanche di nuocergli). La *vis* non ha scopo alcuno, e all'uomo può offrire pascoli ubertosi come catastrofi improvvise. Non è l'irrazionale che, come in Tucidide, irrompe nella storia. Dinnanzi a un fatto naturale come il diffondersi di un'epidemia di peste, quale rimedio può offrire la filosofia di Epicuro? Che cosa può suggerire il filosofo Lucrezio a quei corpi appestati, quasi in prematura decomposizione, che si dilaniano tra loro nell'abbrutimento prodotto da una malattia quasi senza speranza? Può forse suggerire, nello strazio generale, di contemplare tutto con mente serena e di riprodurre tra indicibili tormenti, fisici e psichici, l'imperturbabilità degli dèi?

Supponiamo pure che il poema proseguisse oltre la narrazione della peste. Con quale argomentazione aggiuntiva? Niente, neanche la descrizione della vita beata degli dèi, avrebbe potuto cancellare quella macchia oscura impressa con violenza nel corpo dell'umanità. Nell'immaginario (e non solo nell'immaginario) non si può pensare niente di più atroce di un'epidemia di un male che porta con sé quasi inevitabilmente la morte. Senza senso affermare che il significato della "peste" lucreziana risieda nella denuncia del *timor mortis* oppure nel ribadire la totale assenza dell'intervento divino nelle umane vicende (che pure sono presenti come tasselli di mosaico): forse che l'assimilazione del verbo di Epicuro avrebbe consentito di considerare non con timore, ma con una certa allegria, *quel tipo di morte*? Le conclusioni degli altri cinque libri del poema contengono dottrina epicurea. La conclusione del sesto (e dell'intero poema) ne è sostanzialmente priva.

Né si può immaginare quale conforto potesse apportare ai disgraziati colpiti dall'epidemia l'affermazione che "la morte è niente per noi" (inappropriati, nella sostanza, i confronti con il terzo libro). Occorre una mente amena per suggerire a un appestato (che vede attorno a sé soccombere gli altri di un male che avrebbe strappato pure a lui la vita) che, nella sostanza, nulla sono le sue sofferenze nel ritmo cosmico di aggregazione e disgregazione. E, a dire il vero, Lucrezio neanche questo afferma nel contesto della narrazione. Descrive, sulla scorta di Tucidide. Aggiunge pathos al pathos di Tucidide, ma non spiega, non motiva, non inquadra. Inquadra, sì, la peste come esempio di epidemia (e le epidemie rientrano a pieno titolo nella struttura del libro); ma è la descrizione minuta e, nonostante l'enfasi drammatica, impietosa di *quella* peste a non essere inquadrata e filosoficamente motivata alla luce del verbo di Epicuro. O forse che, una volta illustrata (come per i fulmini e quant'altro) la causa delle epidemie, la mente degli appestati dovesse placarsi in una distaccata acquiescenza?

Quale motivo può allora avere spinto Lucrezio a rielaborare nella conclusione del suo poema la narrazione tucididea della peste? Per quanto concerne il contenuto, nessuna contraddizione col sistema: la peste è un flagello *per l'umanità*, ma non è un flagello *in sé*, dal momento che la natura è assolutamente neutra, e non concepisce categorie come bene e male. Ma resta la forma espressiva con cui Lucrezio ha interpretato Tucidide, forma che in questo caso diventa in certo modo 'significato' dal momento che esaurisce in se stessa la sua funzione. Con compiuta coerenza con gli argomenti del sesto libro Lucrezio ha introdotto il tema delle epidemie, che gli ha offerto il destro per dilungarsi sulla più celebre peste dell'antichità. Ma con un saggio di traduzione artistica. È fuor di dubbio che Lucrezio abbia davanti a sé tenuto presente il testo di Tucidide. Intensificandolo nel pathos, come già rilevato, in conformità alla tradizione e alle modalità del *vertere* latino dinnanzi agli originali greci[42]. Mi limito a un unico, vistoso esempio. I vv. 1259-1271 prendono le mosse da Tucidide:

> Nec minimam partem ex agris is maeror in urbem
> confluxit, languens quem contulit agricolarum   1260
> copia conveniens ex omni morbida parte.
> Omnia conplebant loca tectaque; quo magis aestu
> confertos ita acervatim mors accumulabat.
> Multa siti prostrata viam per proque voluta
> corpora silanos ad aquarum strata iacebant   1265
> interclusa anima nimia ab dulcedine aquarum,
> multaque per populi passim loca prompta viasque
> languida semanimo cum corpore membra videres
> horrida paedore et pannis cooperta perire
> corporis inluvie, pelli super ossibus una,   1270
> ulceribus taetris prope iam sordeque sepulta.

«Per la massima parte quel contagio affluì nella città dai campi: lo portò la folla languente dei campagnoli che, contagiata, conveniva da ogni

---

42   Cfr. Traina 1970, 202-203; *passim*.

parte. Riempivano tutti i luoghi e gli edifici; tanto più, così stipati nella calura, la morte li accatastava a mucchi. Molti corpi prostrati dalla sete e rotolati lungo la via giacevano distesi presso le fontane, con il respiro bloccato dalla dolcezza eccessiva dell'acqua; e in gran numero si sarebbero potute vedere, per i luoghi aperti al popolo e per le strade, dovunque, membra estenuate nel corpo mezzo morto, rese aspre dal sudiciume e coperte di cenci, morire nel lerciume del corpo, con sulle ossa la sola pelle, già quasi sepolta da orribili piaghe e dalla sporcizia». Ed ecco Tucidide 52, 2: οἰκιῶν γὰρ οὐχ ὑπαρχουσῶν, ἀλλ᾽ ἐν καλύβαις πνιγηραῖς ὥρᾳ ἔτους διαιτωμένων ὁ φθόρος ἐγίγνετο οὐδενὶ κόσμῳ, ἀλλὰ καὶ νεκροὶ ἐπ᾽ ἀλλήλοις ἀποθνῄσκοντες ἔκειντο καὶ ἐν ταῖς ὁδοῖς ἐκαλινδοῦντο καὶ περὶ τὰς κρήνας ἁπάσας ἡμιθνῆτες τοῦ ὕδατος ἐπιθυμίᾳ («Non esistendo infatti case per loro, ma abitando in baracche soffocanti per la stagione, la strage avveniva nella confusione totale: i moribondi giacevano abbandonati morendo gli uni sugli altri e alcuni mezzo morti si trascinavano nelle strade e intorno a tutte le fontane per la voglia di acqua»).

Prezioso il commento di Munro[43], che rileva che i vv. 1269-1270 echeggiano «an old poet» citato da Cicerone in *Tusc.* 3, 12, 26:

> Quid? Illum filium Solis nonne patris ipsius luce indignum putas?
>   Refugere oculi, corpus macie extabuit;
>   lacrimae peredere umore exsanguis genas;
>   situm inter oris barba paedore horrida atque
>   intonsa infuscat pectus inluvie scabrum.
> Haec mala, o stultissime Aeeta, ipse tibi addidisti...

Gli ultimi due versi della citazione sono stati con ogni probabilità presenti a Lucrezio 6, 1269-1270. I senari giambici sono di attribuzione incerta (= *Inc.Inc. trag.* 189-192 R.²), ma non è improbabile che siano da attribuire a Pacuvio, forse al *Medus*[44] (= 253-256 W.). Lo stile è tipico del poeta tragico; e comunque *corporis inluvie* di Lucr. 6, 1270 ricorre già in Pacuv. *trag.* 20a *illuvie corporis* (così già Munro); e lo stile è quello (= 13-14 W.): *illuvie corporis / et coma prolixa impexa*

---

43   Munro 1886⁴ II, 400.

44   «Il framm. è tramandato senza il nome dell'autore da Cic., ma con la precisazione che si tratta di Eeta spodestato e questo riconduce indiscutibilmente alla situazione del *Medus* pacuviano» (D'Anna 1967, 219).

conglomerata atque horrida. Lucrezio segue dunque Tucidide sino alla rappresentazione della disperata voglia d'acqua degli appestati, ma integra la descrizione dello storico con una serie di particolari ripugnanti desunti dal poeta citato da Cicerone. Non un semplice ritocco a Tucidide, dunque, ma la visione disgustosa di una pelle, ricoperta di sudicie piaghe, che quasi non si vede più, aderentissima ormai alle ossa scarnificate.

Tanta parte della produzione latina arcaica ci è pervenuta in maniera molto precaria. Di importanti opere epiche e tragiche ci son giunti solo frammenti. Di qui l'impossibilità di ricostruire in modo almeno sufficiente gli apporti, per certo molto consistenti, di quella letteratura nel poema di Lucrezio che, senza dubbio, anche alla luce di quei testi densi di espressività linguistica deve aver 'interpretato' Tucidide.

Una rielaborazione 'artistica' di Tucidide al termine del poema. All'inizio, un inno a Venere genitrice dei Romani[45]. Entrambi, due luoghi 'strategici' per la lettura. Se con la figura della dea Venere Lucrezio vuole conquistare un determinato pubblico legato alle tradizioni e quindi refrattario dinnanzi a una dottrina, quella epicurea, che poteva risultare eversiva, così, con la raffinata traduzione da Tucidide, Lucrezio intende guadagnarsi un pubblico di lettori di grande cultura, che unici sarebbero stati in grado di apprezzare la sua interpretazione dello storico greco. E questo in un'età ricca di impegnative 'traduzioni' dal greco: come Catullo che traduce da Callimaco, come Cicerone che traduce da Arato (due esempi fra tanti).

Questo il significato della scrittura lucreziana: non un intensificarsi di un pessimismo tutto da dimostrare; non un maldestro simbolismo

---

[45]   Confermo i miei dubbi sull'interpretazione simbolica, in qualsiasi modo formulata, della figura di Venere. Solo qualche rilievo. L'*incipit* del poema, *Aeneadum genetrix*, di stampo enniano (*ann.* 52 V.), è quanto di più lontano si possa immaginare da una personificazione simbolica: la dea è, prima di ogni cosa, genitrice dei Romani (allegoria?); molto difficilmente il poema avrebbe potuto aprirsi con una preghiera (forse la più fervida dell'antichità classica) a un principio astratto, a un enigmatico simbolo. In Venere, dea di quel piacere verso cui muove la natura tutta, Lucrezio poteva vedere l'immagine della dea dell'amore venerata dalla tradizione romana e, al contempo, illustrare alcuni principi basilari della dottrina epicurea. D'altra parte un'invocazione a una dea, nella forma tradizionale dell'inno, e per di più ricca della più vetusta consuetudine letteraria latina, doveva riuscire allettante, con evidenti effetti psicagogici, per una colta classe dirigente per sua natura così dubitosa nei confronti dell'epicureismo (per maggiori particolari rimando a Salemme 1980, 54-77).

o una visione di una Atene preepicurea o, ancora e forse peggio, un test per il lettore. Il lettore, Lucrezio l'ha tenuto presente, e in maniera determinante, ma in tutt'altro modo. La poesia lucreziana è sempre in relazione con un "tu" (Memmio o, per lui, altri); sempre si rivolge a qualcuno, in un continuo domandarsi: *chi* leggerà *questo*? quali reazioni susciterà quanto scrivo nella mente del lettore? Forse mai come in Lucrezio il destinatario ha avuto funzione più rilevante. Lucrezio ce la mette tutta perché il pensiero del lettore diventi il *suo* pensiero. E tuttavia egli sa che, nei suoi confronti, il destinatario nutre una serie di attese. Poteva forse Lucrezio smentirsi al termine di un'opera eminentemente volta a rasserenare l'animo umano con la rappresentazione di uno scenario di strazio senza rimedio e di feroce barbarie e, per di più, senza una parola di didassi?

Di nuovo il problema da cui ci siamo mossi: come motivare la *presenza* di un lungo brano soltanto descrittivo (pur se denso di pathos), privo di ogni illustrazione dettata dalla luce liberatrice della dottrina di Epicuro? Unico aggancio puramente strutturale resta la descrizione di *una* epidemia nel contesto della trattazione generale sui morbi. Ebbene, la motivazione della lunga descrizione della peste è da ravvisare nella sua stessa presenza. Il significato del brano è da vedere nel brano stesso. Nella conclusione, un brano di scaltrissima operazione di cesello sul testo di Tucidide che, insieme con l'inno alla dea Venere a inizio d'opera, non poteva non essere apprezzato dal destinatario specifico del *De rerum natura*: un lettore di grande cultura, ovviamente appartenente a un ceto che, unico all'epoca, fosse detentore di tale cultura, ma piuttosto refrattario a accogliere un sistema dottrinario potenzialmente eversivo nei confronti del *mos maiorum* e della cosa pubblica.

LA MORTALITÀ DEL MONDO

Nei vv. 235-415 del V libro Lucrezio intende dimostrare che il mondo ha un principio e una fine, ed è pertanto mortale. Esso è infatti formato da terra, acqua, aria e fuoco, elementi che, esaminati singolarmente, si rivelano mortali (vv. 235-323). A cominciare dalla terra (vv. 251-256):

> principio pars terrai nonnulla, perusta
> solibus assiduis, multa pulsata pedum vi,
> pulveris exhalat nebulam nubesque volantis
> quas validi toto dispergunt aere venti.
> Pars etiam glebarum ad diluviem revocatur
> imbribus et ripas radentia flumina rodunt.

«Innanzi tutto, un'ampia parte della terra, arsa interamente da soli incessanti, battuta dall'urto di molti piedi, esala una nube di polvere e nuvole volanti, che venti gagliardi disperdono per tutta l'aria. Parte, inoltre, delle zolle è trascinata via dalle piogge, e i fiumi, raschiando le sponde, le corrodono». Di continuo, dunque, la terra è bruciata (*perusta*, v. 251) dal sole ed è sottoposta a un calpestio incessante (*pulsata*, v. 252) e violento (*multa... vi*). Di qui esala (*exhalat*, v. 253; cfr. *ThlL* V 2, 1403, 25: «halando foras dare») una nube di polvere, e volute di nuvole volanti si levano, disperse successivamente dal vento nell'aria (v. 254). Non avrei dubbi che Lucrezio abbia tenuto presente Pacuvio, *trag.* 363 *...terra exalat auram ad auroram umidam*. Dalla terra nuvole si levano e confluiscono in quel miscuglio che è l'*aer*[1].

Ma anche nell'acqua va a confluire la terra. A *pulveris exhalat nebulam* fa da riscontro una pregnante espressione di v. 255: *ad diluviem*

---

[1]   Così Giussani 1959³, 29: «per Lucrezio *aer* è un gran miscuglio, tutto ciò che si sperde nell'*aer*, e vi diventa invisibile, fa parte dell'*aer*».

revocatur. È l'azione, sulla terra, delle piogge, cui s'affianca quella dei fiumi che corrodono le rive[2] (inondazione e erosione, dunque). Ma quale, propriamente, il significato di *ad diluviem revocatur*? Il *ThlL* (V 1, 1191, 16-17) nota che qui l'espressione vale «diluitur». E tuttavia è da avvertire che il "diluvio", che qui s'affaccia, ricompare, nel nostro brano, a v. 387, in un *diluviare* che è un autentico "sommergere diluviando"[3] e nell'allusione, ripetuta, a un mitico diluvio primordiale (vv. 395; 411-412). Come, dunque, nuvole di polvere s'innalzano nell'aria, così parte delle zolle è trascinata via in acqua paludosa (*ad diluviem revocatur*: quasi un "richiamo"[4], per il terreno, da parte delle piogge), con un vocabolo, *diluvies*, che designa una vera e propria "inondazione"[5]: il terreno diviene esso stesso, con il suo fondersi in fanghiglia, parte del 'diluvio', dell'inondazione.

Cede, dunque, la terra elementi e li riassume, in un equilibrio che la sostiene. È quanto Lucrezio afferma nei vv. 257-260:

> Praeterea pro parte sua, quodcumque alit auget,
> redditur; et quoniam dubio procul esse videtur
> omniparens eadem rerum commune sepulcrum,
> ergo terra tibi libatur et aucta recrescit.

«Inoltre, tutto ciò che la terra nutre e accresce, le viene in esatta proporzione restituito; e poiché senza dubbio essa appare madre di tutto e comune sepolcro delle cose, vedi dunque che la terra viene a poco a poco corrosa e poi s'accresce e torna a svilupparsi». Singolare il verbo *libatur*[6], il cui significato è egregiamente precisato dall'*OLD* (*s. v.*, 6): «to diminish slightly, impair, whittle down; to take (a small part) away». È insomma un "prendere (staccando) un poco di o da q. c." (Georges), e denota a perfezione il lento e progressivo logorio imposto alla terra

---

[2]   Cfr. v. 256 ...*et ripas radentia flumina rodunt* (per *radentia* bene l'*OLD* [*s. v.*, 2: «to reduce by scraping or paring away; to scrape off»] cita pure Accio, *trag.* 504-505 ...*exuberans / scatebra fluviae radit rupem*).

[3]   Così, Georges 2002[4], *ad l.*

[4]   Cfr. Smith in Leonard – Smith 1942, 667: «is summoned back to its washing away».

[5]   Sul vocabolo cfr. pure Jackson 2013, 263.

[6]   Sul verbo si sofferma pure, per altra via, West 1994[2], 260 (= «trickles away»). Non insisterei troppo sull'immagine del liquido che gradualmente scorre via. In Lucrezio è bene attestato l'impiego del verbo nel suo significato base (cfr. 3, 213; 716).

dalle piogge e dai fiumi. Un dare e avere[7] che Lucrezio sintetizza nel memorabile v. 259, ove la terra è detta *omniparens eadem rerum commune sepulcrum*. Certamente l'immagine della terra come madre e, nello stesso tempo, sepolcro di tutte le cose costituisce «un luogo comune della letteratura antica» e ricorre a più riprese e in vari modi nel *De rerum natura*[8]; ma qui è il contesto che conta, e ancor più lo scarto di significato, ché nel v. 259 la terra da "terreno" diviene la "Madre Terra" che produce per poi riassorbire in un tumulo che produrrà nuova vita, con una metafora dalle originarie connotazioni mitiche. Più che richiamare il sublime Eschilo delle *Coefore* (vv. 127-128), meglio confrontare il testo di Lucrezio con qualche frammento di Ennio. Purtroppo la perdita di tantissima parte della produzione letteraria arcaica ci impedisce, molto spesso, di valutare adeguatamente il testo del *De rerum natura*. Tanto più, dunque, saranno da porre in risalto eventuali riprese da parte di Lucrezio. Ebbene, in *var.* 47, Ennio scrive: *aqua terra anima et sol*. Il frammento è riportato da Varrone (*rust.* 1, 4, 1), che afferma che i principi costitutivi dell'universo sono i quattro riportati da Ennio. E Lucrezio sta appunto trattando di questi quattro elementi, sebbene assolutamente senza ripetere la dottrina empedoclea, da lui criticata in maniera diffusa nel I libro[9]. Il frammento successivo di Ennio (*var.* 48) riporta: *terris gentis omnis peperit et resumit denuo*: è tratto ancora da Varrone (*ling.* 5, 64), il quale, posta l'identità tra *Terra*

---

[7]   Cfr. *...quodcumque alit auget, / redditur...* dei vv. 257-258, ove è chiara una ripresa dal *Chryses* di Pacuvio, *trag.* 90 (un frammento di tutto rilievo sul quale ritorneremo) *quidquid est hoc, omnia animat format alit auget creat*.

[8]   Cfr. Gale 2009, 129, con documentazione.

[9]   Cfr. 1, 734-829, con il commento di Piazzi 2005, 164-226. Ottimo Giussani 1959[3], 28: «Epicuro, naturalmente, non ammette i quattro elementi nel senso empedocleo di elementi primi; ma ammette nel senso popolare quel modo di vedere così generato e indiscusso, che classificava e riduceva tutto il mondo materiale ai quattro elementi fondamentali, alle quattro *maximae partes*: g l i   a t o m i   f a n n o   d a p p r i m a   i   q u a t t r o   e l e m e n t i; di questi è fatta tutta la immensa varietà di cose» (lo spazieggiato è mio). Da rilevare, ancora, è che ai vv. 235-236 Lucrezio enumera i quattro elementi per poi aggiungere (v. 237): *e quibus haec rerum consistere summa videtur*. Mi sembra corretto interpretare, con Smith (in Leonard – Smith 1942, 665), *videtur* nel senso di "appare" (ma in effetti non è): «"is apparently formed"... for in fact the constituents are the atoms» (ma già Giussani 1959[3], 28: «*haec rerum summa*   s i   v e d e   che è composta dei quattro elementi; ma in un senso più profondo   p a r e»). Da leggere con prudenza Garani 2007, che tende a enfatizzare l'influenza empedoclea su Lucrezio al di là della pura tecnica letteraria.

e *Ops*, dice che quest'ultima «ha dato la vita a tutte le razze sulla terra e se la riprende di nuovo». È precisamente ciò che scrive Lucrezio nel v. 259, ed è indubbio che il poeta, senza necessità di rifarsi a scrittori dell'antica grecità (come Senofane 21 B 27 D. K. e Euripide, *Antiop.* 195 N.²), abbia letto Ennio, e in particolare il filosofico *Epicharmus*, cui sembrano appartenere i succitati frammenti.

La terra resta fuori di ogni dubbio "terra", ma è anche nuvola che vola e acqua paludosa, salvo poi a configurarsi come Terra Madre che dà alla luce per poi in sé riassorbire ciò che ha generato.

Dopo la terra, l'acqua: è un fluire perenne, in continua compensazione (vv. 264-272):

...Sed primum quicquid aquai
tollitur in summaque fit ut nil umor abundet,   265
partim quod validi verrentes aequora venti
deminuunt radiisque retexens aetherius sol,
partim quod subter per terras diditur omnis:
percolatur enim virus retroque remanat
materies umoris et ad caput amnibus omnis   270
convenit, inde super terras fluit agmine dulci
qua via secta semel liquido pede detulit undas.

«La quantità d'acqua, che di volta in volta si forma, viene eliminata, e accade che nella somma il liquido non trabocchi» (vv. 264-265). A far diminuire il mare sono i venti, il sole, la porosità della terra. I venti nel loro impeto «spazzano la superficie marina» (cfr. v. 266), ove *verro* non vale solo «to pass over (a surface) with some force, sweep, skim» (*OLD*, *s. v.*, 3 b): resta implicita in esso l'idea di "spazzar via qualcosa da". Qui è acqua che evapora, 'elementi' dell'acqua che vengono sollevati e dispersi dai venti, acqua che si sperde nell'aria (anche altrove il verbo in Lucrezio; ma ci fermiamo a *questo* contesto). Segue l'azione dell'etereo sole «che con i suoi raggi dissolve» la distesa del mare (v. 267). Ancora l'atto dell'evaporare: *radius* può essere raggio di sole[10] come spola di telaio (*OLD*, *s. v.*, 1, 3 b; cfr. pure *ThlL* XI 2, 35, 28 ss.). Così, al riguardo, West[11]: «the sun unweaving the sea with

---

[10] «A ray of light» (*OLD*, *s. v. radius*, 1), come in Ennio, *ann.* 558 *inde patefecit radiis rota candida caelum*.

[11] West 1994², 82, che però mostra di ignorare quanti l'hanno preceduto: già Smith (in Leonard – Smith 1942, 668) aveva rilevato la «textile metaphor» (spesso

the shuttles of his rays». A ciò è però da aggiungere che pure l'uso del verbo *retexere* è significativo, proprio perché riprende l'immagine del telaio: vale infatti "disfare un tessuto" (*OLD, s. v.*, 1: «to reverse the weaving of [a web], unravel, unweave»); con riferimento all'acqua del mare equivale a disfarne parte della superficie, dissolverne la 'tessitura' scomponendone gli elementi per assorbirli nel "gran mare dell'aria" (metafora che segue poco dopo, a v. 276). E non c'è soltanto l'idea del tessuto. C'è, ancora, quella del 'setaccio'. Da ricordare che l'ultima sorgente di perdita d'acqua del mare è la porosità della terra. Nel passaggio dell'acqua attraverso il terreno, la salsedine marina (*virus*, v. 269) viene filtrata (*percolatur*, verbo proprio del "colare, filtrare"; cfr. *colum*, "filtro"). L'elemento liquido poi rifluisce (*retro... remanat*: cfr. Ennio, *ann.* 69) per raccogliersi alla sorgente dei fiumi[12], da cui scaturisce con dolce corrente: ...*fluit agmine dulci* di v. 271 è chiara reminiscenza di Ennio, *ann.* 173 ...*leni fluit agmine flumen*. Il frammento enniano è citato da Macrobio, *Sat.* 6, 4, 4, per l'esempio *non inelegans* di *agmen* nel significato di *ductus* (ma *dulci* lucreziano differisce da *leni* di Ennio nel senso che allude all'acqua divenuta 'dolce' dopo che ne è stata eliminata la salsedine).

Un *agmen*, dunque, che è al contempo una colonna in marcia[13], un *ductus* ove resta tracciata come in un solco una via (*via secta*, v. 272) che porta giù le onde con un procedere che è insieme limpido (= trasparente), liquido (= è un passo fatto d'acqua), e che resta tuttavia

---

Smith anticipa West nel suo essenziale, pregevole commento, anche se non mi risulta che West lo citi). Ancora prima di West, il Farrington, nel 1947, aveva dedicato attenti rilievi al passo in questione: «*Retexere* vuol dire disfare (detto di un tessuto). *Radius* in latino vuol dire sia raggio, sia spola... Il sole disfa le acque usando i raggi come navette. Questo implica che il mare è una specie di tessuto» (Farrington 1981³, 167). Riserve nei confronti dei rilievi di Farrington muove Bailey 1947 III, 1756. Le note del Farrington in sé sono valide. È piuttosto l'inquadramento generale a sollevare perplessità, quando Farrington crede di poter individuare in Lucrezio un metodo di interpretazione della natura alla luce della tecnica (cfr. 168, per altro interessante: in Lucrezio «abbiamo trovato una serie di semplici strumenti con cui l'uomo di quel tempo tentava di adattare ai suoi bisogni le cose che lo circondavano. Troviamo la raspa, la scopa, il fuso e il filtro»).

[12] A v. 270 è *caput* che, come è noto (*ThlL* III 409, 3 ss.) vale anche "sorgente di fiume": metafora non isolata, dal momento che ricorre pure a v. 293 (*lucis caput*). E il sole è *fons luminis* (v. 281).

[13] Bene Smith (in Leonard – Smith 1942, 668), che ricorda l'accezione del termine nel senso di "a column of troops".

un piede (*pede*), un passo, come se l'*agmen/ductus* avanzasse in movimento 'schierato' e ordinato (è una corrente!).

L'acqua, pur restando elemento "acqua", è anche, volta per volta, superficie spazzata, tessuto disfatto, salsedine filtrata, schiera che avanza.

Dopo l'acqua, l'aria, «che nell'intero suo corpo innumerevoli volte si trasforma di ora in ora» (vv. 273-274 ...*qui corpore toto / innumerabiliter privas mutatur in horas*). Seguono i vv. 275-280:

> Semper enim, quodcumque fluit de rebus, id omne
> aeris in magnum fertur mare; qui nisi contra
> corpora retribuat rebus recreetque fluentis,
> omnia iam resoluta forent et in aera versa.
> Haud igitur cessat gigni de rebus et in res
> reccidere, adsidue quoniam fluere omnia constat.

«Sempre infatti ciò che fluisce dalle cose, tutto si trasporta nel gran mare dell'aria; e se questo a sua volta non restituisse gli elementi alle cose e non tornasse a formarle mentre si dileguano, ogni cosa sarebbe ormai dissolta e mutata in aria. Aria che, dunque, non smette di essere generata dalle cose e di tornare nuovamente in esse, poiché è certo che tutto senza interruzione finisce». Dominante è l'idea del flusso, della corrente (cfr. *fluit* a v. 275, *fluentis* a v. 277, *fluere* a v. 280): dato di fatto evidente, già appieno individuato da Bailey[14] prima che altri lo rilevassero. Al centro di tale incessante fluire è un immenso mare fatto d'aria (v. 276) ove gli 'elementi' delle cose tutte affluiscono, ma da cui anche rifluiscono. Diversamente, tutto si dissolverebbe nel mare dell'aria. Anche per questa immagine Lucrezio doveva trovare un precedente nella letteratura arcaica, in Ennio, *scaen.* 382 *crassa pulvis oritur, omnem pervolat caeli fretum*, ove coesistono l'immagine della nube di polvere (cfr. v. 253) e quella del mare dell'aria (*caeli fretum*, in Ennio).

L'aria, pur restando "aria", è dunque anche un immenso mare che inspira e poi espira.

---

[14] Bailey 1947 III, 1362: «l'idea del flusso attraversa l'intero passo e gradatamente si amplia», con quel che segue. Meno bene, a mio avviso, Garani 2007, 208: «Lucrezio parla della distruttibilità degli elementi empedoclei come un processo di liquefazione».

Lucrezio prosegue con l'idea del flusso (vv. 281-285):

> Largus item liquidi fons luminis, aetherius sol,
> inrigat adsidue caelum candore recenti
> suppeditatque novo confestim lumine lumen.
> Nam primum quicquid fulgoris disperit ei,
> quocumque accidit...

«Così la fonte copiosa di limpida luce, l'etereo sole, inonda continuamente il cielo di sempre nuova luminosità e compensa all'istante la luce con nuova luce. Infatti ogni suo bagliore, che volta per volta si forma, si disperde ovunque vada a cadere». Ancora un dare e avere, un perdere per poi ritrovare. Questa volta a proposito della luce solare[15]: se i corpi luminosi necessitano di fiamma sempre nuova, è prova evidente che sono mortali (vv. 302-305). E dunque l'etereo sole è un *fons largus*, abbondante sorgente che, appunto in quanto "fonte", non può far sgorgare altro che un *lumen liquidum* (cfr. vv. 281-282), una luminosità che certamente è "limpida, pura", e anche "trasparente" come l'acqua di fonte che, ovviamente, è "liquida". Non solo, ma «the metaphor in *fons luminis* is extended by the verb *irrigat*»[16], verbo che conserva tutta quanta la forza del suo significato di "irrigare, inondare", sebbene il *ThlL* VII 2, 420, 26 lo interpreti «sensu latiore» nel nostro passo («aliquem [aliquid] perfundere»)[17].

---

[15] Ci aspetteremmo in maniera esplicita, dopo terra acqua aria, il quarto elemento, il fuoco; invece si parla della luce, che tuttavia è composta di particelle di fuoco.

[16] Così Pope 1949, 73.

[17] Lucrezio prosegue con due prove analogiche: le nuvole che scorrono sotto il sole ne spezzano i raggi, e la terra si copre d'ombra dovunque si portano i nembi (vv. 285-289), e quindi la luce ha bisogno di sempre nuove emissioni di luce per poter durare; ugualmente hanno bisogno di continui alimenti di luce i lumi che illuminano la notte, le lampade accese (*pendentes lychni*, v. 295; cfr. Enn. *ann.* 323 *...lychnorum lumina sex*) e le torce oleose che producono denso fumo (*pingues multa caligine*, v. 296), che insistono, insistono nel tremolare con i loro fuochi (vv. 298-299 *...tremere ignibus instant, / instant...*) e non s'estinguono perché sempre nuova fiamma producono (ravvisa un'allusione ironica nell'accostamento della luce dei *lychni* a quella del sole Schrijvers 1970, 244; meglio, forse, Boyancé 1970, 322: «La familiarità dell'immagine serve qui a combattere l'impressione di reverenza che rischia di portarsi su quei grandi luminari del cielo, così spesso divinizzati»). A rendere ancora più solida la dimostrazione della deperibilità di ogni cosa, Lucrezio aggiunge

L'origine delle particelle da cui promana la luce resta il fuoco, che tuttavia scaturisce da una sorgente liquida.

Si riaffaccia a questo punto, trasformata, la metafora della terra *omniparens eadem rerum commune sepulcrum* (v. 259, con il richiamo a Ennio, *var.* 48). Ebbene, il concetto della "madre terra" è presente pure nel poco che conserviamo di Pacuvio, *trag.* 93 (dal *Chryses*), ove però, accanto alla terra è fatta menzione anche dell'*aether: mater est terra: ea parit corpus, animam aether adiugat*[18]. Ora Lucrezio, ai vv. 318-323, attribuisce all'etere (per certo, sebbene non lo nomini espressamente) ciò che a v. 259 aveva attribuito alla terra[19], un etere che viene a essere "origine e fine" delle cose. Diciamo subito che in Lucrezio è un etere che abbraccia la terra, come in un frammento pacuviano che tra poco citeremo (Lucr. 318-323):

> Denique iam tuere hoc, circum supraque quod omnem
> continet amplexu terram: si procreat ex se
> omnia, quod quidam memorant, recipitque perempta,
> totum nativo ac mortali corpore constat.
> Nam quodcumque alias ex se res auget alitque,
> deminui debet, recreari, cum recipit res.

«Ancora, contempla questo cielo che contiene nel suo abbraccio, intorno e di sopra, tutta la terra: se produce da sé tutte le cose, come alcuni dicono[20], e le riaccoglie una volta dissolte, esso consta per

---

[18] due argomenti: il primo (vv. 306-317) rileva come siano soggetti a distruzione anche i monumenti e le pietre e le torri e gli ammassi rocciosi che si staccano dagli alti monti: non cadrebbero divelti all'improvviso, se da tempo infinito avessero sino alla fine retto a tutti gli assalti del tempo (vv. 315-317 *...Neque enim caderent avolsa repente, / ex infinito quae tempore pertolerassent / omnia tormenta aetatis privata fragore*, ove tra l'altro è da rilevare l'impiego di *pertolero*, già presente in Accio, *trag.* 91). Il secondo (vv. 318-323) mostra che pure il cielo, che genera e poi riaccoglie ogni cosa, conosce diminuzione e accrescimento.

[18] «La terra è madre: è lei che genera il corpo; l'etere vi aggiunge l'anima». Il luogo di Pacuvio è da confrontare con Euripide, *Suppl.* 532-534.

[19] Assolutamente senza alcun contrasto teoretico: sono immagini 'intercambiabili' che non intaccano la coerenza del discorso filosofico.

[20] Inutile poi dilungarsi su *quod quidam memorant* di v. 320, espressione generica, che penso si rifaccia a formulazioni mitiche e poetiche, piuttosto che a particolari concezioni filosofiche (molto bene Giussani 1959³, 36: Lucrezio «presenta quella opinione come d'altri [= *quod quidam memorant*, appunto], ma né l'accetta né la rifiuta.

intero di corpo che nasce e che muore. Infatti qualunque cosa che di sé accresce e alimenta altre cose, deve subire perdite, e ristorarsi quando le riaccoglie». Del connubio tra cielo e terra già in precedenza Lucrezio aveva parlato, in particolare nei celebri vv. 991 ss. del II libro (*Denique caelesti sumus omnes semine oriundi...*). Ma per i vv. 318-323 ora citati la fonte non può non essere il *Chryses* di Pacuvio, *trag.* 90-92 (da Cic. *div.* 1, 131):

> quidquid est hoc, omnia animat format alit auget creat
> sepelit recipitque in sese omnia, omniumque idem est pater,
> indidemque eadem aeque oriuntur de integro atque eodem occidunt.

«Qualunque cosa sia, tutto anima, plasma, alimenta, accresce, crea, seppellisce e riaccoglie in sé, ed esso è ugualmente padre di tutte le cose e dallo stesso luogo parimenti le stesse cose nascono di nuovo e nello stesso luogo vanno a finire». La fonte di Pacuvio (insieme con il successivo fr. 93 già citato) è Euripide, *Chrysipp.* 839 N.[2], ma riterrei certo che Lucrezio abbia tenuto presente in maniera diretta il solo tragico latino[21]: ha già utilizzato, come si è visto, il fr. 90 per il v. 257; parla dell'etere senza nominarlo (*hoc... quod*) proprio come Pacuvio (*quidquid est hoc*), a parte la piena concordanza di contenuto. A ciò si aggiunga che l'immagine lucreziana del cielo che abbraccia la terra

---

Si tratta in fondo, più che d'altro, d'una veste poetica... d'una veste, che poteva anche accomodarsi a differenti concetti filosofici»). I commentatori ravvisano, concordi (da Giussani 1959[3], 36-37 in poi), nell'intero passo una componente stoica che, con Furley 1966, 30, senz'altro escludo: «There is *nothing* in the Lucretius passage which is not in Pacuvius, and not much that is distinctively Stoic in Pacuvius». Vale la pena di ricordare che, a proposito dei vv. 318-320, Bignone 2007, 787 rilevava che «non si tratta punto del fuoco degli Stoici, come credono i commentatori di Lucrezio, anche i più recenti». Sulla presunta presenza di elementi stoici nel *De rerum natura* rimando pure a Salemme 2011, *passim* (ad esempio, 71-80; 91-100). Non è poi improbabile che nei vv. 322-323 sia presente la legge dell'isonomia (così Robin in Ernout – Robin 1962[2] III, 43).

[21]   Senza necessità, qui, di ricorrere a Euripide (che Lucrezio ben conosceva!). Quasi superfluo avvertire che il significato di temi ancestrali (qui, quello delle "nozze sacre") varia a seconda del contesto storico, culturale e poetico (ad esempio, per la *quest* eroica cfr. Salemme 1980, 9-21). Cfr. pure, con diversa prospettiva, Schiesaro 1990, 118-122 (specie per 2, 991 ss.). Nonostante la scarsità dei frammenti, Pacuvio si rivela fonte importante per Lucrezio in punti nevralgici del poema (come nell'episodio della peste).

(*continet amplexu terram*, v. 319) riprende con tutta evidenza Pacuvio, *trag.* 86-87 (sempre dal *Chryses*):

> hoc vide, circum supraque quod complexu continet
> terram.

Non è il cielo inteso come elemento aria, né la terra intesa come "terreno". È di nuovo una metafora antica, che Lucrezio riprende nel suo discorso teoretico: è il Cielo che abbraccia la Terra, e produce la vita e la riassorbe.

L'orgogliosa affermazione della propria impresa poetica. Una volta sviluppata la prima prova (il mondo è mortale perché gli elementi che lo costituiscono sono mortali), Lucrezio passa alla seconda (vv. 324-350): la storia della civiltà umana è recente, e dunque il mondo non può essere esistito da sempre, ma è appena al suo inizio (qui il poeta è polemico in primo luogo nei confronti della tesi aristotelica, che ne teorizzava l'eternità). Prova ne è (vv. 326-327) che non c'è testimonianza di poeti che abbiano cantato eventi anteriori alla guerra tebana e alla rovina di Troia. E poi, sempre nuove scoperte si susseguono. Anche «questa dottrina della natura da non molto tempo è stata scoperta, e proprio io, primo fra tutti, ora sono stato ritrovato capace di volgerla nella lingua dei padri»[22]: è così che Lucrezio afferma con grande enfasi la sua assoluta priorità nell'esporre in lingua latina la filosofia di Epicuro. Non è questo il luogo per affrontare il problema cronologico (forse insolubile) connesso con l'affermazione di Lucrezio (Cicerone attesta che Amafinio sarebbe stato il primo a diffondere a Roma la dottrina epicurea: cfr. *Tusc.* 4, 6-7; *fam.* 15, 19, 2)[23]. Certo, perentorio è il poeta nel dichiarare di essere apparso il primo *capace* (cfr. *qui possim* di v. 337) di trasmettere il verbo di Epicuro in lingua latina: evidentemente i predecessori – che pur dovevano esserci stati – non ne erano stati capaci. Non escluderei un certo collegamento tra l'affermazione della sua opera poetica e il ricordo dei poeti che hanno tramandato il ricordo delle guerre di Tebe e di Troia: è il valore dell'impresa poetica a essere esaltato, sia che trasmetta

---

[22]   Cfr. vv. 335-337 *Denique natura haec rerum ratioque repertast / nuper, et hanc primus cum primis ipse repertus / nunc ego sum in patrias qui possim vertere voces.*

[23]   Limpido *status quaestions* in Giancotti 2006[6], 524-525. Forse che, come vorrebbe Smith 1992, 405, la trattazione di Amafinio sarebbe stata succinta e rivolta prevalentemente all'etica, laddove Lucrezio ha rivolto la sua attenzione preminentemente alla filosofia della natura, alla fisica? Molto difficile esserne certi.

all'umanità un evento storico[24] sia un messaggio filosofico. Né sfugga un altro particolare: anche nel I libro, prima di trattare il sublime ma estremamente arduo tema dell'infinità dell'universo, Lucrezio si sofferma sull'esaltazione della sua impresa filosofica e poetica[25]. Non può essere privo di significato il fatto che Lucrezio proprio in questo brano sulla mortalità del mondo, caratterizzato sia da strenuo impegno filosofico sia da uno strenuo discorso poetico, abbia avvertito il bisogno di affermare con rinnovato vigore l'orgogliosa coscienza della propria opera.

Il mondo può ammalarsi. Il preannuncio della distruzione. A partire da v. 338 Lucrezio prospetta un'obiezione: si può attribuire la giovinezza del nostro mondo al fatto che nel passato ci siano state altre civiltà di volta in volta distrutte da enormi calamità (incendi terremoti inondazioni); tanto più – soggiunge Lucrezio – occorrerà convincersi che il mondo andrà incontro alla sua fine (vv. 343-347):

> tanto quique magis victus fateare necessest
> exitium quoque terrarum caelique futurum:
> nam cum res tantis morbis tantisque periclis
> temptarentur, ibi si tristior incubuisset
> causa, darent late cladem magnasque ruinas.

---

[24]   Cfr. vv. 328-329 *Quo tot facta virum totiens cecidere, neque usquam / aeternis famae monumentis insita florent?* («Dove andarono a finire tante imprese di eroi e perché non fioriscono in alcun luogo fissate nei perenni monumenti della fama?»). Spesso nella sua opera Lucrezio celebra il valore della poesia che fa in modo che continuino a esistere realtà di un passato assai lontano (buona documentazione in Segal 1989). È ciò che Schrijvers 1970, 80 definisce «le thème de la floraison (*florere*)». West 1994[2], 2 insiste sul fatto che, accanto a *florent*, nel v. 329 compaia *insita*, ove l'immagine dell'innesto è collegata con quella del "fiorire" (traduce [bene]: «Have they never been grafted on to the eternal monuments of fame to flower there?»). Sennonché anche questa volta West è stato preceduto da Smith (in Leonard – Smith 1942, 287) che, a proposito di *insitus* di 1, 901, rileva che l'immagine «comes from planting or grafting» e, per il nostro 5, 329, nota (673) che *florent* «continues the metaphor» contenuta in *insita* (anche Ernout [in Ernout – Robin 1962[2] III, 44] che pur intende *insita = incisa et insculpta*, afferma che l'immagine «è coerente con *florent*»). Non è inutile avvertire che opportunamente l'*OLD* (*s. v.*, 4) intende *insita* nel significato di «to place on or in; to attach, associate», dopo aver rilevato che tale senso può essere stato influenzato dalla confusione con *insero* (*serui, sertum*) e con *situs* (e d'altro canto cfr. Paneg. 3, 30, 1 *mandanda sunt litteris,* inserenda *monumentis, mittenda in posteros miracula*: cfr. *ThlL* VII 1, 1873, 73-74).

[25]   I vv. 926-950 vengono ripetuti, con variazioni di lieve entità, nel proemio all'intero IV libro (vv. 1-25), con conseguente, complicata questione testuale.

«Tanto più è necessario che, vinto, tu riconosca che giungerà la rovina anche della terra e del cielo. Infatti, quando il mondo veniva assalito da così gravi mali e così gravi pericoli, se in quel momento una forza più funesta si fosse abbattuta, per ampio spazio avrebbe sparso distruzione e ingenti macerie». La presenza di *morbis* a v. 345 ha fatto evidentemente pensare alla Gale a una metafora della malattia[26]. Certo, *morbis* compare poco dopo, a v. 349, e a proposito delle malattie umane, e una certa analogia, anche se qui imperfetta, può cogliersi tra i mali del mondo e le malattie umane[27]. Nei vv. 348-350 Lucrezio afferma che «non in altra maniera ci accorgiamo di essere mortali se non perché a turno ci ammaliamo delle stesse malattie di coloro che la natura ha allontanato dalla vita»[28]. L'analogia resta, per così dire, 'sospesa': ché avrebbe dovuto aggiungere: in ugual modo il mondo manifesta di essere mortale in seguito alle varie calamità e 'malattie'. Resta sospesa ma c'è, l'analogia. Stranamente la Gale propende però per la lettura di West, che a me appare piuttosto debole. In questi versi West[29] ravvisa l'immagine di un edificio vacillante che crolla sotto la spinta di una forza che urge con il suo peso. Il termine di rilievo è per West *incubuisset*, che intende nel senso di «added its weight». Penso che, meglio, il verbo qui valga «irruere, c. impetu se inferre, aggredi» (*ThlL* VII 1, 1074, 44; bene M. F. Smith: «if then a more serious cause had come upon them»). Piuttosto, è da sottolineare in questo passo l'impiego di termini relativi alla distruzione, al cataclisma, che troverà il suo culmine ai vv. 373-375: *exitium* (v. 344), *periclis* (v. 345), *incubuisset* (v. 346; il verbo è detto propriamente di sventure[30] che sopraggiungono all'improvviso), *cladem* e *ruinas* (v. 347).

Lucrezio prosegue con la terza prova (vv. 351-379): il mondo non possiede le caratteristiche necessarie per poter essere eterno, e cioè non ha solidità come l'hanno gli atomi, dal momento che il vuoto è mescolato all'interno della materia; non è intangibile come il vuoto; non

---

[26]   Gale 2009, 135: «the disease metaphor continues to the end of the sentence».

[27]   Più di una volta Lucrezio ricorre a confronti tra uomo e cosmo: cfr. Schiesaro 1990, 74-83.

[28]   *Nec ratione alia mortales esse videmur, / inter nos nisi quod morbis aegrescimus isdem / atque illi quos a vita natura removit.*

[29]   West 1994[2], 64.

[30]   Comprese le malattie: cfr. Lucr. 6, 1143 *incubuit tandem populo Pandionis omni* e Hor. *carm.* 1, 3, 30-31 *...macies et nova febrium / terris incubuit cohors.*

possiede, come l'universo, spazio circostante. Il mondo è esposto alle *plagae*, agli urti provenienti dai corpi che, sorgendo improvvisamente dall'infinito, lo possono far precipitare nell'immenso vuoto *aut aliam quamvis cladem inportare pericli*.

L'interpretazione di *cladem pericli* presenta consistenti difficoltà. Al riguardo, Giussani scrive: «è ardito, è strano, si sente più che non si spieghi, ma in sostanza si capisce; il sostantivo tiene il posto di un aggettivo 'una crisi tremenda, fatale'»[31]. La tendenza generale degli interpreti è quella di rendere il genitivo *pericli* con un aggettivo (a due sostantivi ricorre invece M. F. Smith: «disaster and danger»). A proposito di *cladem pericli* il Bailey[32] parla di «a strange use of an apparently descriptive genitive without an adjective», per poi precisare, come Giussani, che il genitivo prende il posto di un aggettivo, e intende: «a dangerous disaster»[33]. Ma un'espressione come "una distruzione rischiosa" non ha senso. E dunque *pericli* non può equivalere a un aggettivo qualificativo, dal momento che il rischio (che oltre tutto è connesso con *possint* di v. 367[34]: la catastrofe è solo eventuale!) è anteriore al suo effetto, cioè la catastrofe stessa, come mi fa rilevare, in una sua lettera, l'amico Alfonso Traina.

Ora, in Hofmann – Szantyr[35] è segnalato, a proposito di un genitivo di discussa interpretazione[36], «der Typus der affektischen Umschreibung», in uso specie nella commedia: tra gli altri, vd. Plaut. *Curc.* 616 *scelus viri* (al posto dell'aggettivo *scelestus*); *Poen.* 1310 *hallex viri*; *Asin.* 473 *flagitium hominis*; *Poen.* 273 *monstrum mulieris*; *Persa* 204 *deliciae pueri*; 848 *frustum pueri*. Ma se possiamo dire *vir scelestus* al posto di *scelus viri* nel luogo citato del *Curculio*, non lo stesso possiamo affermare per *cladem pericli* che, così com'è, è intraducibile[37].

---

[31]   Giussani 1959³, 40.

[32]   Bailey 1947 I, 92.

[33]   Bailey 1947 III, 1374. Sostanzialmente identica l'interpretazione di Gale 2009, 41. Costa 1984, 75 traduce come Bailey, richiamando un genitivo come *poculo mortis* (Cic. *Cluent.* 31) che per certo può essere reso con un aggettivo, e per nulla è confrontabile con il lucreziano *pericli*.

[34]   È utile, a questo punto, riportare il contesto per intero (vv. 366-369 *...neque autem corpora desunt, / ex infinito quae possint forte coorta / corruere hanc rerum violento turbine summam / aut aliam quamvis cladem inportare pericli*).

[35]   Hofmann – Szantyr 1965, 56.

[36]   Non ben definita la loro natura pure in Bennet 1914, 68.

[37]   «This I cannot translate»: così Housman 1900, 258.

Dal canto suo, Munro[38] avverte che *cladem pericli* è una rara forma espressiva, che confronta con 5, 201 *silvae ferarum* e 1193 *murmura magna minarum* (che ritengo proprio, invece, due chiari genitivi possessivi); per Munro, *pericli* e *minarum* paiono avere la forza di un epiteto, «to be in fact genitives of quality», qualcosa come *coni umbras* di 5, 764 e *Tartara leti* di 3, 42 (e che invece sono ancora due genitivi possessivi, e non di qualità[39]).

Strano è poi che Brieger[40] attribuisca al Bruno la congettura *per ictus* (che Brieger accoglie nel testo) e così dopo di lui al Bruno la attribuiscano Giussani e Bailey, laddove Bruno[41] propone l'espunzione dell'intero verso insieme con quella del v. 372 *aut alia quavis possunt vi pulsa perire*[42]. Per quanto mi risulta, la congettura *per ictus* risale al Bockemüller[43]. Si tratta però di intervento inutile e banale (come potrebbe prodursi *clades* se non *per ictus*?).

Forte è il sospetto che il v. 369 appartenga alla stessa mano dell'interpolato v. 372[44], e lo stesso Giussani, che pur accoglie nel testo il v. 369, lo ritiene «ingiustificato». Forse più corretto è affermare che il v. 372 è stato malamente coniato sul modello del v. 369, autentico. E forse è *pericli* soltanto che non funziona, senza che ci si affatichi a ricercarne una spiegazione sintattica che non esiste. Già Langen[45] aveva sospettato che l'ultima parte del verso fosse caduta (come in 1, 752 e in 2, 331) e rimpiazzata con *pericli*. A ciò si può aggiungere che, pochi versi prima, ricorre *cladem* a v. 347 e *periclis* alla fine di v. 345, termine, quest'ultimo, che potrebbe aver contribuito, a v. 369, alla sostituzione della lezione originaria con *pericli*. Che porrei tra *cruces*.

Siamo ora al culmine della rovina (disgregazione) (vv. 370-375):

> nec porro natura loci spatiumque profundi
> deficit, exspargi quo possint moenia mundi,
> aut alia quavis possunt vi pulsa perire.
> Haud igitur leti praeclusa est ianua caelo,
> nec soli terraeque, neque altis aequoris undis,
> sed patet immani et vasto respectat hiatu.

---

[38]   Munro 1886⁴ II, 303.
[39]   A un impiego estremamente libero del genitivo di qualità pensa anche Ernout in Ernout – Robin 1962² III, 51.
[40]   Brieger 1894, LXVII.
[41]   Bruno 1872, 10.
[42]   Dell'espunzione del v. 372 sono convinto anch'io. Per le motivazioni rimando a Müller 1975, 365-367.
[43]   Bockemüller 1874 II, 124.
[44]   Cfr. Housman 1900, 258.
[45]   Langen 1876, 38.

«Né d'altra parte mancano lo spazio e la profondità dell'abisso, dove le barriere del mondo possano disperdersi o, colpite da qualsiasi altra forza, perire. Dunque la porta della morte non è chiusa al cielo, né al sole, né alla terra, né alle correnti profonde del mare, ma sta spalancata e li guarda e li attende[46] con smisurata e orribile voragine». Si ergono dunque le mura del mondo (*moenia mundi*, v. 371). Composte di fuoco o etere (e *flammantia* vengono dette in 1, 73), bene si immagina come possano spargersi, disperdersi (*exspargi*) nello spazio dell'abisso (v. 370 *spatium... profundi*) per riprendere il moto originario, rigorosamente all'ingiù. Ci sarà pur sempre una *parte* del mondo in cui verrà meno l'opera compensatrice degli atomi provenienti dall'esterno: da quella *parte* fuoriusciranno gli elementi (aria fuoco terra acqua dei vv. 373-374) e i composti. Il tutto, tenuto compatto sino a quel momento, si disgregherà. Ebbene, la *parte* del mondo in cui si è 'allentata' la compagine è una zona aperta, una porta, la *ianua* di v. 373, attraverso la quale si dissolve il tutto, e che è pertanto la porta della morte (*leti*)[47], della disgregazione di quell'enorme aggregato che è il mondo (uno degli infiniti) nell'abisso dello spazio senza fine. L'apertura della porta non può che essere una voragine (cfr. *hiatu* di v. 375) smisurata e orribile, dal momento che conduce allo sfacelo[48]. In particolare, la *ianua* andrà rapportata ai *moenia* di v. 371: è in questa relazione che la si può descrivere come *la porta ormai aperta di una fortezza pur circondata da bastioni, una porta alla fine scardinata*. Attraverso quella porta sarà tutta quanta la colossale fortezza a disfarsi e a crollare. È pur sempre il discorso metaforico che sollecita a pensare una realtà altra rispetto a quella rappresentata dal discorso descrittivo[49].

---

[46] Rendo *respectat* con due verbi. Opportunamente Ernout (in Ernout – Robin 1962[2] III, 51) sottolinea che *respectat* esprime al contempo sia il guardare sia l'attendere.

[47] La metafora è ripresa da 1, 1111-1113. Bene Gale 2009, 136-137 ci ricorda "le porte dell'Ade" dell'epica omerica (come in *Il.* 5, 646 e *Od.* 14, 156) e la ripresa virgiliana in *Aen.* 6, 127 (*noctes atque dies patet atri ianua Ditis*). Quasi inutile aggiungere che in Lucrezio è tutt'altra lettura del reale.

[48] Non è necessario pensare alle fauci di un animale affamato (così Smith in Leonard – Smith 1942, 677) e tanto meno alla somiglianza con una maschera di demonio etrusco (così Townend 1965, 107).

[49] Per la funzione cognitiva della metafora mi limito a rimandare a quanto ho scritto in Salemme 2009, 99-112.

Ciò che vediamo è una roccaforte ove si è aperta una rovinosa falla.

Nel contesto di una guerra civile. La quarta prova della mortalità del mondo (vv. 380-415) muove dal fatto che gli elementi, che pur mantengono l'equilibrio generale, sono in continua lotta tra di loro; l'acqua e il fuoco cercano di sopraffarsi reciprocamente, sino a ora senza effetti; e tuttavia verrà un giorno che segnerà il predominio di un elemento sull'altro: e sarà la fine. La quarta prova si apre con la descrizione di una guerra empia (v. 381 *...pio nequaquam concita bello*), ove il riferimento è alle immense membra del mondo (vv. 380-381 *... maxima mundi / ...membra...*). Ora, le membra del mondo sono i quattro elementi di cui Lucrezio ha già separatamente parlato, e la guerra scatenata con smisurato impeto è una guerra empia perché è assimilabile a una guerra civile, dal momento che gli elementi sono considerati come «the inhabitants of a single state, the *mundus*»[50]. La terminologia bellica, oltre che in certo modo riprendere la metafora della fortezza che crolla, è – come è noto – ricorrente nel poema, anche se molto, forse troppo, si è scritto sull' "epica eroica" lucreziana[51]. Si tratta, ad ogni modo, di una guerra, quella tra gli elementi (specie fuoco e acqua), ancora senza un vincitore e un vinto, una guerra "equilibrata" (cfr. *aequo certamine* di v. 392), ove a prevalere è pur sempre il principio isonomico (cfr. 2, 569-580), e tuttavia non per questo meno veemente (vv. 392-395):

Tantum spirantes aequo certamine bellum
magnis ⟨inter se⟩ de rebus cernere certant,
cum semel interea fuerit superantior ignis
et semel, ut fama est, umor regnarit in arvis.

«Animati da così intenso ardore di guerra con esito pari lottano per decidere di grandi eventi tra loro; sebbene tuttavia una volta il fuoco ebbe il sopravvento, e una volta, come narrano, l'acqua regnò sui campi». *Tantum spirantes... bellum* di v. 392 è intensa espressione

---

[50] Così Bailey 1947 III, 1376. È opportuno leggere il passo nel suo complesso (vv. 380-383): *Denique tantopere inter se cum maxima mundi / pugnent membra, pio nequaquam concita bello, / nonne vides aliquam longi certaminis ollis / posse dari finem?...*).

[51] Mi limito a ricordare Murley 1947; ulteriori contributi sono segnalati in Gale 1994, 99-128, in un capitolo per altro, difficile da condividere.

epica[52], cui immediatamente segue (v. 393) una indubbia reminiscenza da Ennio, *ann.* 555 *olli cernebant magnis de rebus agentes*, ove *cernere* = «armis decernere, contendere» (*ThlL* III 864, 83), che fa pensare che pure lo "spirar guerra" fosse già presente nella poesia enniana. Lucrezio rievoca poi due momenti in cui il generale equilibrio parve dissolversi: una volta fu quando si propagò un incendio universale dovuto alla prevalenza del fuoco – e Lucrezio riporta il mito di Fetonte, trascritto in evidente chiave parodica[53]; un'altra volta si verificò in occasione di un diluvio universale (vv. 411-415), evento legato ai primordi dell'umanità.

Lucrezio si avvale di un poderoso complesso di metafore che, nel contesto della sua poetica, costituisce un formidabile strumento per esercitare la sua opera di seduzione nei confronti di un lettore che ha bisogno di essere persuaso a seguire gli insegnamenti di Epicuro. Forse mai come nel *De rerum natura* il destinatario ha una simile funzione determinante ai fini stessi della costruzione dell'opera.

Molto spesso tali metafore provengono da un repertorio già utilizzato dalla letteratura arcaica. La perdita di buona parte della produzione letteraria anteriore a Lucrezio ci impedisce un quadro chiaro degli indubbi, consistenti debiti dell'autore del *De rerum natura* nei confronti di quella produzione. Alcuni campi metaforici, come quello relativo alle immagini di guerra, erano già ampiamente diffusi (si pensi alla scrittura di Plauto), al punto da essere persino considerati di uso comune. A fare la differenza è esclusivamente il contesto.

Perché è il contesto che volta per volta interagisce con la singola metafora, come in una 'tensione reciproca'; e la metafora sviluppa volta per volta significati nuovi se posta in discorsi nuovi. I termini *ianua* e *letum* in sé non stanno insieme, giacché la nozione di "morte" non è collegata con quella di "porta"; ma dalla 'tensione' tra l'interpretazione letterale e quella metaforica viene a prodursi un nuovo senso, in base al quale si attribuisce alla *ianua* qualcosa che non le appartiene, qualcosa che prima non era conosciuto, e che cioè conduca alla morte: una nuova pertinenza concettuale. Come per il cosmo: potrà mai dirsi che il "cosmo" possieda "mura"? Entrambe le metafore sviluppano questo loro significato in quanto inserite in questo determinato contesto lucreziano; in altro contesto svilupperebbero altro senso. Ora, se denomino *ianua*

---

[52]   Cfr. ad es. Hom. *Il.* 2, 536 μένεα πνείοντες; Aesch. *Agam.* 375-376 τῶν Ἄρη πνεόντων, nonché Cic. *Att.* 15, 11, 1 *Martem spirare diceres*.

[53]   Bene, al riguardo, West 1994², 50-53.

leti la parte che si scompagina del cosmo e da cui fuoriesce la materia; se insomma "la porta" resta ciò che intendiamo per "porta" ma sviluppa al contempo il significato di "varco della disgregazione" (cfr. *leti*), senza però che l'accezione "porta" venga eliminata, potrò farlo non solo per l'immediato collegamento con i *moenia mundi*, le mura fortificate del mondo (mura che presuppongono una porta), ma anche perché la metafora è inserita in una "cornice", in un contesto (con il quale interagisce) nel quale non si parla d'altro che di colpi e contraccolpi attorno a corpi solidi, di disgregazioni determinate da veementi collisioni. Ne sono testimonianza i vv. 351-363 (che precedono)[54] e, ancor più, i già citati vv. 370-375, ove esplicitamente compaiono le metafore *moenia mundi* e *ianua leti*. Si può parlare di una "rete metaforica" ove non solo le metafore sono interconnesse, ma anche le espressioni puramente descrittive vengono in certa misura come alterate dalla tensione istituita nel 'campo'.

Non mi sembra dunque persuasivo West quando più di una volta, a proposito di versi qui esaminati (251-260; 264-270; 275-278; 281-282), parla di «assimilation by metaphor»[55]: «Così intensamente Lucrezio visualizza la sua analogia, così insistentemente vuole avvalorarla nei confronti del suo lettore, che l'analogia all'occasione è presentata come identità»[56]. Non può esserci identità perché l'enunciato metaforico, se sviluppa un nuovo significato, non

---

[54] Praeterea quaecumque manent aeterna necessust / aut, quia sunt *solido cum corpore*, respuere *ictus* / nec penetrare pati sibi quicquam quod queat *artas* / *dissociare intus partis*, ut *materiai* / *corpora* sunt quorum naturam ostendimus ante, / aut ideo durare aetatem posse per omnem, / *plagarum* quia sunt expertia, sicut inane est, / quod manet *intactum* neque *ab ictu* fungitur hilum, / aut etiam quia nulla loci fit copia circum, / quo quasi res possint *discedere dissoluique*, / sicut summarum summa est aeterna, neque extra / qui locus est *dissiliant*, neque *corpora* sunt quae / possint *incidere* et *valida dissolvere plaga*.

[55] West 1994[2], 141-144.

[56] West 1994[2], 144. Diversamente Clay 1996, che a sua volta mostra di ignorare West, ritiene che Lucrezio, con la confusione di terra, acqua, aria e fuoco (cfr. 1, 271-297), intende mostrare l'unità dei fenomeni del mondo fisico (784-785). Il contributo di Clay non è sempre condivisibile, e non è immune da forzature: a suo avviso, ad esempio, quando Lucrezio attribuisce caratteristiche umane ai moti invisibili degli atomi (come l'essere in perpetua guerra: 2, 573-574), assegnerebbe loro una funzione etica (786). L'uomo verrebbe così posto dinnanzi a un'alternativa: o di abbandonarsi alla turbolenza caotica della materia, o di dominarla attraverso la filosofia di Epicuro. Una valenza, questa, che molto difficilmente può essere attribuita alla metafora lucreziana.

sopprime il significato base. Un esempio minimo: l'acqua, con tutti i termini che a essa si riferiscono, nella rappresentazione lucreziana *non* è acqua (= smette di essere acqua), ma nello stesso tempo è acqua (= resta pur sempre acqua). Non c'è assimilazione, ma dal significato primario si sviluppano significati secondari che coesistono con il senso base e con il quale restano in "tensione". Sempre nell'ambito di un contesto più complesso. Perché, ancora, l'accento non va posto sulle singole parole, in quanto è l'intero contesto che, nei suoi singoli termini, viene intaccato dall'interpretazione metaforica.

L'intera, ampia sezione dedicata alla dimostrazione della mortalità del mondo può essere allora 'ridescritta' alla luce di un senso ulteriore, che quello 'primario' (= il linguaggio descrittivo), per così dire, nasconde e rivela: il cosmo viene ridescritto come un'enorme fortezza, all'interno e all'esterno della quale si gioca una guerra immane (è, certo, il 'codificato' linguaggio della guerra, che però acquista una sua precipua valenza metaforica all'interno di questo particolare contesto). Nel cosmo così reinterpretato, da un lato ogni elemento, pur restando se stesso, viene visto come altro da sé (ad esempio, la terra come nuvola o acqua di palude; all'origine del fuoco è una sorgente liquida; l'aria è come mare; l'acqua è come schiera che avanza), dall'altro ogni elemento, come in guerra, cerca di avere il sopravvento. All'esterno della fortezza è invece una ridda di urti e di rimbalzi, che alla fine ne determinano il definitivo crollo su se stessa. E sarà allora che si aprirà una porta.

Sullo sfondo, miti ancestrali come la "Terra Madre" o le "Nozze del Cielo e della Terra". In primo piano, e con la consapevolezza da parte di Lucrezio di trovarsi in un punto della sua opera ad altissima "densità", l'orgogliosa affermazione della propria impresa poetica.

UN ENIGMA LUCREZIANO

La migliore definizione della problematica relativa al v. 550 del VI libro è stata formulata, in nota, da M. F. Smith: «a hopeless corruption»[1]. E «hopeless» resterà al termine di questo contributo, che nella sostanza intende ripercorrere criticamente lo *status quaestionis*. La sua eventuale validità sarà in prevalenza nella *pars destruens*, ché la *construens* consisterà in qualche puntualizzazione finale.

Lucrezio afferma (6, 543-547) che, in seguito a tremendi scoscendimenti nel sottosuolo, in superficie la terra trema: «rovinano infatti monti interi, e alla grande scossa, all'improvviso, tremiti di lì si diffondono serpeggiando in ogni senso» (vv. 546-547).

> quippe cadunt toti montes, magnoque repente
> concussu late disserpunt inde tremores.

Prima una scossa, dunque; poi vibrazioni telluriche. Seguono i vv. 548-551, con il v. 550 gravemente corrotto (tra *cruces* il testo di OQ)[2]:

> Et merito, quoniam plaustris concussa tremescunt
> tecta viam propter non magno pondere tota,
> nec minus †exultantes dupuis cumque vim†
> ferratos utrimque rotarum succutit orbes.

---

[1]   Cfr. Smith 1992.
[2]   L'estensione del passo tra *cruces* è quella dello stesso Smith che, in apparato, soltanto come esempio di congettura, propone *exultant axes ubi summa viai* («nor less do [the axles] jump up [when the surface of the road] jolts the iron rims of the wheels on either side»), ove però il tutto si riduce a una trasmissione di sobbalzi dai cerchi ferrati agli assi, per di più con scarsa probabilità paleografica; ma da apprezzare è sin d'ora, a mio avviso, che Smith non riferisca *exultant* a *tecta*.

«Ed è naturale, dal momento che, scosse dai carri, tremano le case lungo la strada, tutte intere pur per un peso non grande, e non meno * * * scuote dal basso i cerchi ferrati delle ruote dall'una e dall'altra parte». Non c'è dunque da meravigliarsi dell'insorgere dei terremoti (mai da attribuire a una volontà che trascenda l'esperienza del sensibile) se pure le case tremano quando passa un carro da trasporto, e non importa se ciò che contiene non è di peso notevole: basta un carico anche di peso comune per far vibrare le case (di pietra o di legno che siano). E sin qui è tutto chiaro. Sennonché Lucrezio continua (*nec minus* eqs.) con un verbo che con alta probabilità è proprio *exultant*: «fere i. q. in altum salire, resilire», avverte il *ThlL* V 2, 1948, 47-50, che accoglie la congettura *si scrupulus* di Ferrarino e riferisce *exultant* a *plaustra* (cosa che Ferrarino non fa)[3].

Un consistente interrogativo di fondo è: quale il soggetto di *exultant*? i *tecta*, le case, come intendono molti, o i *plaustra* (da *plaustris* di v. 548)? A imprimere una svolta nella ricostruzione del verso è stato il Lachmann[4] (subito seguito dal Bernays[5]), che propose di leggere *nec minus exsultant, et ubi lapi' cumque viai*[6]. Quasi del tutto sicuro l'emendamento *viai*, ma, a parte la difficoltà sia del costrutto (*et ubi* [?]) sia dell'elisione[7]; a parte il fatto che è del tutto improbabile

---

[3] Per Ferrarino 1941-1942, 20 il soggetto di *exultant* è «senz'alcun dubbio, *tecta*». Propone (21) *exultant, si scrupulus cumque viai*. Bene *si... cumque* (già in Goebel e in Martin); opportuno il ricordo di Plaut. *Capt.* 185 *nam meus scruposam victus commetat viam* (22 n. 24). La «sola difficoltà» (21) che il Ferrarino ravvisa nella sua proposta è la scarsissima attestazione del termine *scrupulus* (molto prima Munro aveva congetturato *scrupus*: cfr. *infra*) che, nel suo senso proprio di "piccola pietra appuntita", compare, molto tardi, in Solino (7, 4; 53, 25). Una consistente difficoltà, certo. A parte l'insoddisfacente interpretazione, sulla quale non mi soffermo. Perché ritengo che il problema principale sia costituito dal fatto che la discussione del Ferrarino, pur densa di dottrina, niente ci dice intorno alla quantità di -*us* di *scrupulus* che, ove mai illustrata, mal converrebbe, comunque, a congettura.

[4] Lachmann 1853[2].

[5] Bernays 1852.

[6] Si noti che a v. 548 al posto di *plaustris* Lachmann legge *plaustri*, lettura accolta ancora sino al Giussani incluso che, a fronte di *plaustris*, giustamente rileva (1898 IV, 232) che comunque il senso viene a essere il medesimo, «ben potendo "un carro non molto pesante" significare "un carro non carico di molto peso"». Sarà Merrill (cfr. *infra*) a ripristinare *plaustris*.

[7] Ernout, in Ernout – Robin 1962[2] III, 284, definisce «l'élision de l's final de *lapis* très suspect».

che un solo *lapis* faccia sobbalzare le ruote *utrimque*, dall'una parte e dall'altra, quale senso può avere rilevare, dopo quanto già detto, che «le case non sussultano meno rispetto a quando un sasso della strada» fa sobbalzare le ruote di un carro? Né la stessa espressione *lapis viai* è del tutto perspicua: in qual modo *lapis* vien qui detto "appartenere" alla strada? Può poi Munro[8] affermare, a proposito della proposta di Lachmann, che sarebbe esagerazione veramente mostruosa «to say that houses shake in the way a carriage does, when the wheels are struck up by a stone on the road», ma la soluzione che egli prospetta non appare migliore: *nec minus exultant, ut scrupus cumque viai*[9]. Di nuovo, che cosa si intende per *scrupus viai*? Si tratta, per Munro[10], di una pietra, di un sasso scabro e appuntito che si viene a trovare lì, sulla strada. Tra l'altro, però, non è da dimenticare che *scrupus proprie est lapillus brevis* (Serv. *Aen.* 6, 238), e dunque è un sasso di dimensioni ridotte: estremamente improbabile che squassi un carro da trasporto quale il *plaustrum*, e che il tutto sia messo in rapporto, come causa, al traballare delle case. A ciò si aggiunga che *scrupus* compare per la prima volta in Petron. 79, 3 e in Paul. Fest. p. 332 M. (*scrupi dicuntur aspera saxa et difficilia attrectatu*). Non credo poi che *ut... cumque* possa costituire un'alternativa a *ubicumque*, per lo meno nell'uso lucreziano[11].

Un cenno può meritare la lettura di Bockemüller[12]: *nec minus exultant res, dum vis usque viai*, dove è veramente difficile ravvisare in *res* oggetti (quali? quelli contenuti nelle case?!) che si mettono ugualmente a balzare («ebenso hüpfen die Gegenstände»); e la *vis viai* già presen-

---

8 Munro 1886[4] I, in apparato.
9 Munro 1886[4] III, 165 traduce: «and they rock no less, where any sharp pebble on the road jolts up the iron tires of the wheels on both sides».
10 Munro 1886[4] II, 371.
11 Non bene Richter 1974, 130 n. 1 rimanda a 5, 583, ove *ut... cumque* = *quocumque modo*, non "ogni volta che". Insomma, in Lucrezio soltanto con *semel* (cfr. 1, 1030; 4, 610) *ut* ha valore temporale. Né è poi pensabile *cumque* da solo, come nella proposta di Ellis 1869, 222: *exultant et scrupus cumque viai* (bene, al riguardo, Munro 1871, 121; non convincente la replica di Ellis 1871, 266-267). Per quanto invece concerne *si... cumque*, come in Goebel 1857, 27: *exultant si quavis cumque viai*, e in Martin 1963[5]: *exultant, si quidvis cumque viai*, non sarei d'accordo con Bailey 1947 III, 1637 nel definirla «doubtful... construction». Può rettamente valere "ciascuna volta che" (così Ferrarino 1941-1942, 23). Piuttosto, se la proposta di Martin è generica al punto da risultare sbiadita, in quella di Goebel, tra le altre cose, si fa più problematica l'accezione di *vis* (*vis viai*?).
12 Bockemüller 1874 II, 242.

te in Goebel? la scabrosità della strada («so lange [*usque dum*] eine Eigenheit [Unebenheit] der Fahrstrasse»)? Certamente Lucrezio ama le perifrasi, ma questa non ha senso. Il Barigazzi dice di accogliere l'emendamento del Bockemüller in termini che, però, non mi sembrano particolarmente entusiasti: «paleograficamente mi sembra il migliore, e non peggiore degli altri per il senso»[13].

Una proposta che ha avuto una certa fortuna è stata quella di Brieger[14]: *nec minus exultant res, ut lapi' cumque viai*, ove *res* – si è visto – è già in Bockemüller. Il Giussani accoglie la lettura di Brieger e interpreta[15]: «Al passar d'un *plaustrum* tremano le case vicine, e non meno i mobili delle case, quando una pietra sporgente, attraverso la via, *succutit* l'una e l'altra ruota ferrata». Ma non è una banalità affermare che al passare di un carro tremano le case e non solo, ma tremano pure i mobili in esse contenuti (sempre ammesso che *res* possa qui essere inteso in tal senso)? Anche Merrill, nell'edizione del 1907, accoglie la lettura di Brieger, ma con molte esitazioni[16]. Successivamente, nell'edizione del 1917, pone le croci (†*esdupuis*†) e, in apparato: «*fort.* ea cum vis», che riprende la sua proposta formulata nel 1916[17]: *ea cum vis cumque viai*. Ancora *vis viai*, mentre *cum... cumque* può avere un suo riscontro in 2, 114[18].

---

[13]   In Fellin – Barigazzi 1976², 65-66. Erra tuttavia il Barigazzi quando riferisce che *res dum vis cumque viai* è congettura di Bockemüller, ché Bockemüller scrive *usque*, non *cumque*. Ad ogni modo, ecco la traduzione del Barigazzi: «e non meno sussultano gli oggetti ogni volta che una asperità della strada...». Si ponga mente a come traduce *vis viai*.

[14]   Brieger 1894.

[15]   Giussani 1898 IV, 233.

[16]   Cfr. Merrill 1907, 757.

[17]   Merrill 1916, 119-120.

[18]   Appena da ricordare sono alcune proposte. Bergk 1884, 469-470: *nec minus exsultant rupis, ubicumque viai / ferratos auriga rotarum succutit orbes*, ove è almeno da rilevare che, al posto di *utrimque*, spunta fuori un *auriga* che non si sa che cosa ci stia a fare, per non dire di *rupes* che *exsultant*. Christ 1855, 26: *exultant sedes, ubicumque viai*, ove *sedes* sono i «sedilia vehiculorum» (del carro da trasporto); *ubicumque viai* equivarrebbe a *si qui locus viae* e farebbe (malamente) da soggetto a *succutit*. Da notare che *sedes* è già in Wakefield 1813 III, 306: *exsultant sedes, ubiquomque equitum vis* (per la sua proposta il Wakefield tien presenti le letture di FC [*ubi currus cumque equum vi*] e quella del Lambino [*ubi currus fortis equum vis*]; rimando all'apparato di Munro e a quello di Flores [cfr. *infra*] per ulteriori dettagli; qui basta così). In nota Wakefield prospetta altre soluzioni, come *exsultant, currus*

Ancora il generico *res*, anche se determinato da un aggettivo, nella lettura del Diels[19] *exultant, res dura ubi cumque viai*, che Smith[20] accoglie. Espressione non solo vaga, ma anche in certo modo oscura. Smith avverte che *viai* è da collegare strettamente con *res dura*, e cioè: «a hard object belonging to», e quindi «on the road». Ma non mi sembra spiegazione soddisfacente.

La lettura di Rusch[21] *exultant fissura ubicumque viai* è stata ripresa da Richter[22] e, di rincalzo, da Godwin[23]. L'argomento più rilevante addotto da Richter, e di cui occorre tener conto, è l'importanza di *utrimque* di v. 551, che esclude congetture come *lapis*, *scrupus* e simili, nel senso che un sasso non può far sobbalzare le ruote da entrambi i lati[24]: deve dunque trattarsi di qualcosa come una fenditura sul lastricato. Il discorso coglie dunque nel segno quando ribadisce che un *lapis* non può far sobbalzare le ruote da un lato e dall'altro. Bailey[25] rileva che la congettura di Rusch «is paleographically inadmissible»; in più, mi meraviglierei di trovare il termine *fissura* in un poeta, e per di più del I secolo a. C. (cfr. *ThlL* VI 1, 828, 31 ss.)[26].

---

ubiquomque viarum; su questa linea la proposta di Forbiger 1828, 503: *exsultant aedes, ubiquomque equitum vis*. Altre proposte sono veramente difficili, per un motivo o per un altro, da prendere in considerazione, e si ricordano qui per erudizione di chi legge. Grasberger 1856, 60: *exultant sedes, ubi quicque* [?!] *viai*. Polle 1867a, 283: *exultant onera umbo ubicumque viai*. Frerichs 1892, 16: *extantis rupis vis cumque* [o *quaeque*] *viai*. Verdière 1961, 100: *exsultant ‹a›estu ut is cumque viae* [!]; ma cfr. già Eichstädt 1801 I: *exsultant aestu, quom fortis equum vis*). Per concludere: *sola Pisaeumque flumen* di Isaac Voss che, chi vuole, può leggere nell'apparato di Munro 1886[4] I.

[19]   Diels 1923.
[20]   In Leonard – Smith 1942, 811.
[21]   Rusch 1882, 8.
[22]   Richter 1974, 129-131.
[23]   Cfr. Godwin 1991, 133, che traduce (49): «and no less do the carts themselves leap, wherever a crack in the road surface jerks the iron circles of the wheels on both sides».
[24]   Da rilevare tuttavia è che l'obiezione di Richter è già in modo chiaro formulata nell'apparato dell'edizione di Büchner 1966: «cum autem utraque rota succutiatur, unus lapis vel scrupus eam rem efficere non potest», che Richter stranamente ignora (ma il rilievo del Büchner è ricorrente: cfr. già Bergk 1884, 469).
[25]   Bailey 1947 III, 1637.
[26]   La congettura di Rusch è considerata come la più plausibile pure da Deufert 2018, 411 (che pur conserva le *cruces*: †*es dupuis cumque vim*†). Per Deufert il soggetto di *exultant* resta *tecta*; l'immagine che ne risulta «è per certo iperbolica, ma in nessun modo assurda».

Ma non si è ancora accennato alla posizione del Bailey, che muove dalle *cruces* (†*es dupuis*†)[27], per poi proporre nell'edizione del 1947[28] *exsultant ea ubi lapi' cumque viai* (ove *lapi' cumque viai* è già in Lachmann). Negli *Addenda*[29], dopo aver menzionato a sostegno della sua lettura quella di Meurig Davies (*exultant plaustra ut lapi' cumque viai*)[30], che egli critica perché *plaustra* è parola lontana dal testo dei manoscritti, approda alla sua lettura definitiva: *nec minus exsultant ipsa ut lapi' cumque viai*, che traduce: «nor do (the wagons) themselves quiver any less (than the houses) whenever a stone in the road». È chiaro, a questo punto, che il Bailey ha il merito di aver sottolineato che a sobbalzare per il passaggio dei carri sono bensì le case, ma è inconcepibile che le case sussultino (*exultant*) per l'ostacolo trovato dai carri lungo la strada. Che però tale ostacolo sia costituito da un *lapis* è tutto da dimostrare e, per il resto, al Bailey possono essere poste le stesse obiezioni rivolte al Lachmann.

Anche per Butterfield[31] non vi sono dubbi che il soggetto di *exultant* può essere soltanto *plaustra* («the verb being ridiculous when applied to houses»). Propone *exultant ubicumque salebra viai*, con corretto riferimento alle scabrosità del suolo. Ora, è vero che il criterio paleografico non può avere valore assoluto, ma non credo possa essere del tutto messo da parte. Il sostantivo *salebra* è presente in un passo di Seneca (*nat.* 6, 22, 1) che possiamo ritenere per certo abbia tenuto presente il luogo lucreziano[32], ma che non è detto aiuti a risolvere q u e s t a difficoltà testuale:

Si quando magna onera per vices vehiculorum plurium tracta sunt et rotae maiore nisu in salebras inciderunt, tecta concuti senties.

---

[27] Bailey 1922[2] (†*exultantes dupuis*† nell'edizione 1900[1]); identiche *cruces* pure in Ernout 1964 II.

[28] Bailey 1947 I, con difesa del suo testo in 1947 III, 1637-1638.

[29] Bailey 1947 III, 1758.

[30] La proposta deve trovarsi in Meurig Davies 1946, che non mi è stato possibile consultare.

[31] Butterfield 2008b, 15.

[32] Cfr. Parroni 2002, 586. Altro passo che mostra di aver tenuto presente il luogo lucreziano (in tutt'altro contesto) è Germ. 196-197 *Qualis* ferratos *subicit clavicula dentes,* / succutit...

E d'altronde già altri aveva pensato a *salebra*, come il Merrill[33]: «It [si riferisce a quanto ha affermato subito prima] suggests salebra, which is just the word desired».

Per Büchner, nell'edizione del 1966 già citata, «*exultant* non ad plaustra referendum praesertim cum, quo magis res consentanea est, eo minus apta sit ad argumentum firmandum»[34]. Son dunque le case che ballano, se le scabrosità di una strada scuotono i cerchi delle ruote. Il Büchner ha nel testo *exultant, scruposum cumque viai*, ma è evidente che la sua congettura è in apparato: «scruposum ubi cumque *scripsi*»[35]. Il Flores[36] registra nel suo apparato la proposta di Büchner («fort. recte»), sebbene la accolga senz'altro nel testo. Bene Büchner ribadisce che una sola pietra, o ciottolo che sia, non può far sussultare entrambe le ruote del carro. In questo concorda con Rusch, la cui congettura, tuttavia, gli appare giustamente troppo lontana dal testo tràdito. E bene egli ricorda[37] la *scruposa via* di Plaut. *Capt.* 185, come bene menziona la predilezione lucreziana per i neutri sostantivati in combinazione con genitivi come *viae* o *viai*. E tuttavia, per il suo *scruposum viai* pensava egli forse a espressioni come *vera viai* (1, 659) o a *rara viarum* (6, 332)? Di fatto, non aggiunge alcun esempio a sostegno, e non poteva aggiungerlo, dal momento che l'uso generale, e lucreziano in particolare, prevede il neutro p l u r a l e, e non singolare[38].

A questo punto, non ci resta che ribadire quanto affermato all'inizio: la corruzione contenuta nel passo è «hopeless». *Cruces*, dunque, considerato che qualsiasi soluzione lascia, in un modo o nell'altro, ampi margini di dubbio, e sarebbe temerario introdurre l'una o l'altra nel testo. *Cruces*, ma limitate, come nell'edizione citata di Merrill 1917, a †*esdupuis*†: *viai*, infatti, è – come è noto – brillante emendamento del Lachmann e frequente clausola in Lucrezio (cfr. 1, 406, 1041; 2, 249; 3, 498; 5, 739, 1124), né toccherei il chiarissimo *cumque*. Punto

---

[33] Merrill 1916, 120.

[34] In apparato; il Büchner aveva più diffusamente difeso la sua proposta in Büchner 1956, 224-225.

[35] Su questa congettura, lapidario Goodyear 1965, 50: «a remote possibility and no more».

[36] Cfr. Flores 2009, che traduce (187): «e non meno sobbalzano, dovunque la via sassosa i ferrati d'ambo i lati cerchi delle ruote scuote».

[37] Büchner 1956, 225 n. 1.

[38] Cfr. «Genitive after neuter plural of adjectives or participles» nell'ottimo Bailey 1947 I, 91-92.

fermo che credo si possa ricavare dalla discussione che precede è che a sobbalzare questa volta sono i carri, e non le case. Certo, il soggetto è implicito, ma si ricava facilmente dal v. 548. Non fa gran cosa il Bailey scrivendo *ipsa* con riferimento ai *plaustra*, dal momento che *ipsa* può altrettanto riferirsi ai *tecta*. E tuttavia il soggetto non può che essere *plaustra*, appena noi ammettiamo (ancora una volta) che è del tutto inverisimile immaginare che le case possano sobbalzare in conseguenza di un qualcosa che scuote i cerchi di un carro.

Ed eccoci a X, cioè a *esdupuis*. Nel testo così come ci è conservato, queste appena otto lettere dovrebbero contenere il soggetto di *succutit*, eventualmente il soggetto di *exultant*, nonché il completamento di *-cumque*. Decisamente troppo. Fatto che riterrei indiscutibile, già rilevato da Polle[39], al di là della sua proposta di lettura (che veramente non è gran cosa). Inevitabile postulare allora la perdita di un verso dopo il 550. Cosa che deve avere, rettamente a mio avviso, intuito il Müller[40], la cui ricostruzione mi appare tuttavia piuttosto "generosa" (a partire dall'introduzione di *currus*, lettura troppo lontana dal testo tràdito, già presente – come si è visto – in FC e nel Lambino) e pianificante "a oltranza" con l'aggiunta di un verso (550[a]) di conio dello stesso Müller:

> nec minus exultant currus, ubicumque viai
> *asperitas quaedam lapidisve obstantia dura.*

La conclusione di questo contributo non può che essere problematica. Senza senso aggiungere una nuova improbabile proposta alle tante già formulate. Non andrei al di là di questo testo:

> nec minus exultant †esdupuis† cumque viai
> *
> ferratos utrimque rotarum succutit orbes.

Se, come credo, c'è la lacuna di un verso, pressoché inutile congetturare su un *esdupuis* da cui non si può ricavare più di tanto (quante cose dovrebbero essere contenute in così poche lettere!). E dunque, per correttezza filologica, può essere non inutile aver sottolineato l'estrema complessità del luogo lucreziano.

---

[39] Polle 1867a, 283.
[40] Müller 1975.

DAL CASO ALLA NECESSITÀ

Innumerevoli mondi nello spazio infinito: questo il contenuto di un'ampia e variamente articolata sezione del II libro del *De rerum natura* (vv. 1023-1104). Uno sguardo preliminare al contesto entro cui vanno inseriti i densi, problematici vv. 1067-1076, che contengono la seconda argomentazione che Lucrezio propone per dimostrare, appunto, l'esistenza di una pluralità di mondi nell'universo.

Nei vv. 1023-1047 il poeta avverte il lettore che sta per rivelargli una verità straordinaria, un aspetto del tutto nuovo del reale (*nova species rerum*, v. 1025). Lucrezio insiste sulla grandezza meravigliosa, sul *mirabile* che, con la vista del cielo, ci circonda. Il Bignone[1] ha persuasivamente mostrato che Lucrezio sviluppa il tema in chiave polemica contro il *mirabile* enunciato da Aristotele nel *De philosophia*, che il poeta avrebbe avuto presente (vale la pena di leggere il fr. 13 W. = Cic. *nat. deor.* 2, 37). E straordinaria, in effetti, è la teoria che egli espone della pluralità dei mondi (si ricordi che la nozione di infinità dell'essere va da Melisso a Democrito, a Epicuro e Lucrezio) solo se la si confronta con l'altra teoria cosmologica, che ben altro successo avrebbe avuto nei secoli, quella platonico-aristotelica del cosmo unico e perfetto[2]. Non sarà fuori luogo ricordare che la coincidenza tra cosmo e universo è propria dell'età moderna; nell'atomismo si immaginava, nell'infinità dell'universo, l'esistenza di una pluralità di mondi 'chiusi', non insom-

---

[1]   Bignone 2007, 831.

[2]   Le due teorie in limpido confronto in Furley 1986; per un più generale inquadramento cfr. Leszl 1989. Mi limito a ricordare la particolare insistenza di Platone sull'unicità del mondo in *Ti.* 31 a-b (cfr. Parry 1979). In effetti, Platone rigetta la concezione dell'infinità dei mondi, ma è meno perentorio di Aristotele (*cael.* 278 b 26 – 279 a 18) nell'affermazione dell'unicità del cosmo.

ma facenti parte di un unico universo: ciascuno di essi aveva origine, costituzione e forma proprie.

Per Lucrezio, al di là delle mura del nostro mondo si apre uno spazio infinito, e l'animo cerca di capire che cosa ci sia oltre, fin dove la mente vuole spingere lo sguardo e fin dove da sé vola il libero slancio dell'intelletto (vv. 1044-1047):

> Quaerit enim rationem animus, cum summa loci sit
> infinita foris haec extra moenia mundi,
> quid sit porro quo prospicere usque velit mens
> atque animi iactus liber quo pervolet ipse.

È l'*animi iniectus*, lo slancio della mente, corrispondente all'epicurea ἐπιβολὴ τῆς διανοίας, che è in grado di cogliere mentalmente lo spazio infinito che è al di fuori del mondo. Questo della ἐπιβολή è problema intricato, affascinante persino, sul quale è stato scritto molto (un'ampia bibliografia che non è il caso qui di illustrare)[3]. Quesito: è questa "apprensione intellettiva (intuitiva)" un criterio di verità al pari di sensazioni, prolessi, sentimenti (= i tre criteri di verità)? Il quesito è grosso, ché qui è chiaro che non avremmo più a che fare con i sensi, secondo la più comune versione della canonica epicurea, ma con un'azione che riguarda la mente (l'intuizione?), che adoprerebbe la mente, appunto, come adopera i sensi per accedere al vero.

Insomma, è evidente che tramite la sensazione non si può cogliere l'infinità dei mondi nello spazio, né ovviamente tramite prolessi o emozioni. Qui è questione di andare oltre il fenomeno, e di cogliere con la mente una realtà che non si vede. Cosa alquanto complessa, almeno per la canonica di Epicuro.

A noi interessa soltanto sottolineare che, in base a quanto scrive Lucrezio, in forza di una operazione intellettiva si può cogliere una realtà assolutamente straordinaria, fonte di meraviglia e di sconcerto:

---

[3] Già cosa molto complessa è rettamente intendere Diogene Laerzio 10, 31. Dal punto di vista bibliografico più che sufficiente è in questa sede rimandare al contributo di Asmis 2009, che presenta un quadro essenziale con selezionati rinvii. Istruttiva la testimonianza di Cicerone, *nat. deor.* 1, 20 *si immensam et interminatam in omnis partis magnitudinem regionum videretis, in quam se* iniciens animus *et intendens ita late longeque peregrinantur*. Cfr. pure *animi iniectus* in Lucr. 2, 740 e, nell'ambito del nostro passo, l'eccellente emendamento del Lipsius *inice mentem* (*indice mente* OQ) a v. 1080.

la reale esistenza di mondi illimitati in uno spazio senza fine. Si pensi alla mentalità dell'evo antico (e medievale), alla credenza per allora 'scientifica' dell'unicità del nostro cosmo (concezione che in pratica durerà per circa due millenni), e si leggano poi i versi di Lucrezio con il loro senso cosmico, ove la mente vuole *prospicere* (v. 1046), continuare a guardare avanti, e la ἐπιβολή, l'*animi iactus* (che qui è *liber*, libero di spaziare nell'immenso, senza volgersi a un oggetto particolare), intende percorrere a volo (*pervolet*, v. 1047) lo spazio infinito. La tensione filosofica si fa qui, ad altissimo grado, tensione poetica.

Dopo la premessa, Lucrezio fornisce tre prove per dimostrare l'esistenza di mondi illimitati nell'universo. La prima (vv. 1048-1066) è implicita nelle argomentazioni che precedono[4]: se accettiamo, come dimostrato, che lo spazio è infinito, e che atomi senza numero vi si muovono, ne consegue che in altre regioni dell'universo devono esistere altri mondi *qualis hic est, avido complexu quem tenet aether* (v. 1066), «quale è questo nostro che l'etere racchiude con avido abbraccio». In questa prima prova Lucrezio esalta, a differenza di quanto farà per la seconda, l'opera del caso, e chiarissime ne sono le indicazioni: i semi della materia si urtano da sé spontaneamente a caso (*sponte sua forte*, v. 1059) dopo essersi accozzati ciecamente, a vuoto, invano (*temere, incassum, frustraque*: tre vigorosi avverbi posti in sequenza per non dare adito alcuno a qualsiasi idea di tipo finalistico). Naturalmente *qualis hic est* è da intendersi quanto alla formazione atomica, ché i mondi possono essere molto diversi tra loro: cfr. Epicuro, *Hdt.* 45, 3-4 «I mondi poi sono infiniti (ἄπειροι), sia quelli uguali al nostro sia quelli diversi (ἀνόμοιοι)».

La seconda prova (vv. 1067-1076), la più ardua, sarà oggetto della nostra successiva discussione.

Nella terza prova (vv. 1077-1089) Lucrezio rileva che ogni essere nel mondo naturale non è mai unico nel suo genere e che, anzi, di esso c'è sempre un numero illimitato di esemplari: questo vale non solo per animali e piante, ma deve valere pure per esseri inanimati come terra, luna, cielo, mare, di cui per la nostra esperienza circoscritta non riusciamo a vedere che un solo esemplare. Per analogia devono essercene altrove, e in numero illimitato, destinati pur essi, come gli esseri viventi, a disgregazione e 'morte'.

---

4   Si pensi eminentemente a 1, 951-1117, su cui cfr. Salemme 2011.

La lunga sezione si conclude con un passo polemico (vv. 1090-1104): una volta ammessa l'esistenza di una pluralità di mondi nell'universo infinito, come è possibile ammettere l'esistenza degli dèi? sarebbero essi forse in grado di governare l'immensa realtà cosmica, con il rischio di disturbare in tal modo la loro quiete assoluta negli spazi tra mondo e mondo[5]?

Dopo aver illustrato il contesto generale, passiamo ora a prendere in esame la seconda prova, per certo l'unica veramente problematica (vv. 1067-1076):

> Praeterea cum materies est multa parata,
> cum locus est praesto nec res nec causa moratur
> ulla, geri debent nimirum et confieri res.
> Nunc et seminibus si tanta est copia quantam   1070
> enumerare aetas animantum non queat omnis,
> vis‹que› eadem ‹et› natura manet quae semina rerum
> conicere in loca quaeque queat simili ratione
> atque huc sunt coniecta, necesse est confiteare
> esse alios aliis terrarum in partibus orbis   1075
> et varias hominum gentis et saecla ferarum.

«Inoltre, quando abbondante materia è pronta, quando è a disposizione lo spazio, né sono di impedimento né ostacolo materiale né forza contraria, le cose devono senza dubbio attuarsi e giungere a compimento. Ora, se gli atomi sono di così gran numero quanto l'intera vita degli esseri viventi non sarebbe in grado di contare, e se permangono la medesima forza e natura che possano radunare i semi delle cose nelle loro sedi in maniera simile a quella in cui sono stati qui combinati, è necessario che tu ammetta che in altre regioni ci siano altre terre e diverse stirpi umane e specie di fiere». Quale il rapporto tra questa seconda prova e la prima? Assolutamente la seconda non è una semplice variazione della prima[6]. Per Giussani nella prima è indicata e esaltata l'opera del caso;

---

[5] Warren 2004 esamina la concezione della pluralità dei mondi in Lucrezio proprio da questa angolazione: la capacità che ha tale teoria di eliminare ogni timore di intervento divino, nella vita del cosmo come in quella degli uomini.

[6] Questa è l'opinione di Munro 1886[4], 230; e non solo di Munro. In effetti, in comune le due prove hanno solo che partecipano entrambe, in varia misura, alla ben nota "legge dell'isonomia". Male, dunque, pure Boyancé 1970, 144: «Questa prova [la prima] è seguita da un'altra tanto somigliante che i commentatori hanno stentato

nella seconda, al contrario, quella della necessità[7]. Il Bailey accoglie l'interpretazione del Giussani e esplicita ulteriormente lo stacco tra le due prove; nella prima, Lucrezio insiste sull'azione spontanea degli atomi come causa della formazione del mondo, «nella seconda egli ritorna alla concezione democritea della necessità»[8]. Insomma, tra chi non ravvisa differenze sostanziali tra le due prove e chi ipotizza un ritorno di Lucrezio alla concezione democritea della "necessità", occorre forse soffermarsi meglio di quanto non sia stato fatto sul contenuto della seconda prova, anche allo scopo di più ampiamente riflettere sul concetto di "necessità" così come viene formulato in uno scrittore di stretta osservanza epicurea come Lucrezio.

Di tutto rilievo è dare uno sguardo ai termini contenuti nel passo, sui quali mi sembra non sia stato dato il necessario risalto. A cominciare da *materies* a v. 1067. Per dar luogo alla formazione di un mondo occorre anzitutto *multa materies*: materiale atomico, dunque, che, accanto al vuoto, è uno dei principi costitutivi del reale. E occorre che tale *materies* sia "in abbondanza", in quantità, cioè, molto più che sufficiente. Un mondo già formato infatti tenderebbe a dissolversi se non sopravvenissero in continuazione atomi (*materies*) dall'esterno a trattenere o compensare le perdite (cfr. 1, 1021-1051). Un altro termine di rilievo è *locus* di v. 1068. Corrisponde per certo al πολύκενος τόπος, lo spazio molto vuoto menzionato da Epicuro in *Pyth.* 89, 2-6: «un mondo siffatto può formarsi sia in un mondo, sia in un metacosmio – come noi chiamiamo lo spazio interposto fra i mondi – in uno spazio molto vuoto (ἐν πολυκένῳ τόπῳ), ma non in uno spazio assolutamente vuoto, come dicono alcuni (οὐκ ἐν μεγάλῳ εἰλικρινεῖ καὶ κενῷ, καθάπερ τινές φασιν)». È qui la polemica di Epicuro contro i primi atomisti (cfr. «come dicono alcuni»), che ritenevano necessario, perché un cosmo si formasse, uno spazio assolutamente vuoto (cfr. Leucippo 67 A 1 DK)[9];

---

non poco a vederne la differenza». No, la differenza c'è, ed è netta.

[7] È opportuno leggere quanto il Giussani 1896 II, 279 scrive in proposito: «Questi due argomenti sono affini, ma – almeno in Lucrezio – non sono identici: nel primo c'è la verisimiglianza cavata dall'infinito ripetersi delle stesse condizioni, tutto essendo in balìa del caso: è un'applicazione del principio di probabilità; nel secondo c'è la necessità che, date certe cause e condizioni, si producano certi effetti».

[8] Bailey 1947 II, 965.

[9] Troppo recisa è la polemica di Epicuro (la *Lettera a Pitocle*, ove mai non fosse autentica, contiene, comunque, sicura dottrina epicurea) per poter arrivare a negare la teoria del vuoto assoluto nell'atomismo antico (cfr. Silvestre 1985, 126-

verso questo spazio confluiscono atomi da ogni parte che vanno poi a generare un vortice (δίνη) ove i simili si aggregano con i simili; e così si forma un mondo. Per concludere, il *locus* di cui parla Lucrezio a v. 1068 è per certo "lo spazio molto vuoto" di cui parla Epicuro.

Abbiamo dunque come requisiti per la formazione di un mondo la *materies* e il *locus*. A questi due Lucrezio aggiunge (vv. 1068-1069): *nec res nec causa moratur / ulla*. Traduzioni come «e nessun fatto né causa contrasta» o «and no thing and no cause hinders»[10] non dicono alcunché. Parlare di "cause" *tout court* rischia, oltre tutto, di compromettere il sistema. Non bene, d'altra parte, Bailey[11] pensa che *res* non faccia che ripetere *materies*, e che *causa* aggiunga il terzo requisito. Insomma, *materies* è un requisito, vanificato subito dopo dal suo presunto omonimo *res*? E in qual senso *causa* (?) costituirebbe il terzo requisito? In particolare, l'assenza di *causa*? Il Bailey è qui sotto l'influenza di Giussani che non è chiaro (ritengo che responsabile della mancanza di chiarezza sia pure l'accettazione, da parte di Giussani, di una lacuna dopo il v. 1071, proposta nella sua edizione da Brieger[12]). E tuttavia proprio Giussani suggerisce le più efficaci interpretazioni di *res* («ostacolo materiale») e di *causa* («forza contraria»), sebbene non si curi di motivarle. E allora i requisiti per la costituzione di un cosmo sono in effetti tre, di cui il terzo 'in assenza':

128; di vuoto "rarefatto" parla invece Alfieri 1979², 109: un'ipotesi). Uno spazio privo di atomi non è teoricamente impossibile. Né è necessario postulare un'azione di attrazione o di risucchio da parte del vuoto. Certo, è difficile immaginare perché uno spazio debba essere assolutamente vuoto per poter 'generare' un cosmo, ma la negazione polemica di Epicuro sembra farne punto di assoluto rilievo nella sua dottrina, e l'assenza di ulteriori testimonianze esplicite consiglia comunque prudenza. Inadeguata mi sembra la motivazione addotta da Bailey 1928, 362-363: a un 'pieno' atomico si contrapporrebbe, in Leucippo, un vuoto assoluto. Vero è poi che la testimonianza citata su Leucippo parla di atomi che sono condotti in un grande vuoto (εἰς μέγα κενόν), non in uno spazio assolutamente vuoto. Un confronto di base tra la cosmologia dei primi atomisti e quella di Epicuro è stato sviluppato da Brieger 1884, ma è a certe preziose notazioni di Giussani 1959³, 46-48 che vorrei rimandare, al suo commento per più rispetti ancora insuperato, specie per l'armonico concorso di filologia e filosofia: giustamente problematiche, e in certo senso 'esitanti', le sue conclusioni sulla nozione di "vuoto" (cfr. pure Salemme 2010, 75-76).

[10] Cito le traduzioni che riterrei, in linea generale, migliori fra tutte: quella di Fellin – Barigazzi 1976² e quella di Smith 1992.

[11] Bailey 1947 II, 968.

[12] Brieger 1894.

1. la presenza di un abbondante, adeguato materiale atomico;
2. uno spazio molto vuoto, idoneo cioè a conciliare i moti degli atomi, in particolare quelli atti a connettere insieme i corpi delle cose per la formazione degli aggregati (συγκρίσεις);
3. l'assenza generica di *res*, di materia atomica inadatta alla generazione delle cose, e l'assenza di forza contraria (*causa*), che è poi in sostanza la stessa cosa di *res*.

Non si pensi a una causa agente, insomma. La *causa* è del tutto casuale. Si tratta pur sempre, come per *res*, di atomi che cozzano restii a unirsi, a aggregarsi in modo da formare un organismo di qualsiasi genere. Un cosmo epicureo (uno qualsiasi, uno tra innumerevoli) è fatto da moti, urti, repulsioni, combinazioni del tutto casuali. Del tutto casuale la selezione cosmica.

In questa nostra illustrazione dei termini del passo tralasciamo per un momento *debent*: le cose "devono" attuarsi, ma in quale senso? C'è nel verbo il concetto di "necessità" pura, sì da accostare il tutto alla "necessità" democritea?

Nei vv. 1067-1069, dunque, Lucrezio ha indicato tre condizioni per la formazione di un cosmo: l'abbondanza di materiale atomico, lo spazio, e che non ci siano impedimenti da materia refrattaria a aggregarsi. Nei successivi vv. 1070-1074 Lucrezio indica ancora tre requisiti per la costituzione di un mondo, dal contenuto che non smentisce i primi tre (il primo vi è, anzi, ripreso), ma che considerano il tutto da una prospettiva diversa (e *nunc* di v. 1070 lascia intuire che il poeta passi a qualcosa *d'altro*). Eccoli: il primo (vv. 1070-1071: se c'è abbondanza di atomi al di là di ogni immaginazione) riprende la *materies multa* di v. 1067; gli altri due insistono su due concetti ancora da illustrare: *vis* e *natura*, concetti che vengono a sostituire, nella nuova argomentazione, i corrispettivi di *locus* (che assolutamente non c'è; e proprio l'assenza del concetto di *locus* ha fatto postulare la lacuna dopo il v. 1071) da una parte, di *nec res nec causa moratur* dall'altra.

Per quel che concerne *vis*, Bailey scrive[13]: «*vis* is required by the argument to represent *causa* in 1068». Ma quale relazione può esservi tra una *vis* che si richiede sia presente e una *causa* che non deve fare da ostacolo? *Vis* è chiaramente la forza atomica, la forza di movimento che è nell'atomo, quella forza che lo trascina in basso, che lo fa deviare

---

[13]   Bailey 1947 II, 969.

e, infine, vibrare quando si trova all'interno di un aggregato. Resta da chiarire il significato che ha qui *natura*, termine di per sé complesso. Ci converrà rifarci a un luogo importante, già richiamato, di Epicuro (*Pyth.* 89): un mondo «si forma per il confluire da un solo cosmo o metacosmio, o da più, di certi atomi adatti (ἐπιτηδείων τινῶν σπερμάτων), i quali determinano a poco a poco aggiunte e connessioni e mutamenti in un altro luogo, a seconda di come càpiti (ἐὰν οὕτω τύχῃ)[14], e afflussi da complessi adatti (ἐκ τῶν ἐχόντων ἐπιτηδείως) fino al compimento e in modo da poter durare, fino a che cioè le basi sottoposte ammettono l'aggiunta di materia». A formare un mondo concorrono atomi adatti (= che non si respingano), all'insegna del caso, ma in modo da garantire compiutezza (τελείωσις) e permanenza (διαμονή) al tutto che si è venuto aggregando. Deve allora esserci il concorso di "atomi adatti": i *semina rerum* del v. 1072[15]. La dottrina è nota: agisce il caso ma, una volta costituito un tutto organico, subentrano quei *foedera naturae* (di cui spesso nel poema lucreziano) che garantiscono la permanenza (assolutamente temporanea) di una struttura. È la garanzia che il nostro mondo continui a funzionare così com'è, ed è pur sempre una sorta di necessità, sebbene non di natura ontologica, ma di natura che diremmo 'meccanica'. Ora, se *vis* è la forza di movimento che ogni atomo possiede, *natura* sarà, nel passo lucreziano, appunto la tendenza strutturale degli aggregati a tenersi compatti (almeno per un certo tempo), a ubbidire a certe "leggi". È quanto scrive Lucrezio ai vv. 1072-1074: se persiste, *si manet* (e sì che *manet*! il verbo è importante, e il poeta ne dà per scontato il significato; è valso e varrà sempre) la forza atomica, se persiste la tendenza all'aggregazione, a 'strutturarsi' di quella *natura* che raduna i "semi delle cose" (i *semina rerum* di v. 1072: sono gli atomi "adatti" di Epicuro, quelli che danno origine alle cose del mondo, al mondo stesso), per certo ci saranno luoghi ove tali semi si organizzeranno in un cosmo, proprio come si è organizzato questo nostro mondo.

---

[14] Per Bailey l'espressione sottolinea l'azione del caso in contrasto con quella della necessità, laddove per Long 2006, 163 vale «as it may happen», e altro non sarebbe che «a familiar Greek expression»; ma il fatto che sia un'espressione comune non esclude che qui stia a indicare, in maniera tutt'altro che deterministica, le possibili combinazioni atomiche *nel corso* della formazione.

[15] Lucrezio dunque riprende la teoria epicurea dell'esistenza anche in altri mondi di semi generatori di vita (*Hdt.* 74, 8 ss.), mentre Democrito postulava l'esistenza di mondi privi di vita (68 A 40 DK).

L'espressione *semina rerum*, al di là di ogni dibattito, sta a indicare con buona probabilità l'attitudine 'generazionale' degli atomi, la loro disposizione, incontrandosi con atomi "adatti", a costituire aggregati.

Ed eccoci a *debent* di v. 1069, senz'altro il termine più arduo. Poste determinate condizioni, un cosmo *deve* costituirsi in tutta la sua pienezza. Un verbo così perentorio ci autorizza a ipotizzare, in Lucrezio, un ritorno al concetto democriteo di "necessità"? Impensabile. Sarebbe un nonsenso oltre tutto perché si collegherebbe con una cosmologia, come quella democritea, che non spiega il passaggio dal disordine all'ordine. Con tutto il debito che sia Epicuro sia Lucrezio hanno nei confronti di Democrito (avrebbe mai Epicuro sviluppato il suo atomismo senza il precedente democriteo?), è indubbio che, se c'è un punto nevralgico su cui Epicuro dissente in maniera netta da Democrito, è proprio quello relativo alla "necessità". Fuori luogo – e impossibile – riesaminare qui tale concetto come viene inteso da Leucippo e Democrito[16]. Le testimonianze su "necessità" e "caso" nei primi atomisti sono problematiche, persino contraddittorie e elusive, al punto che al riguardo si possono pur formulare ipotesi più o meno plausibili, ma il concetto di necessità in Democrito resta non del tutto chiaro (anche a causa della deficienza delle fonti)[17]. Di certo è che Aristotele, nella sua critica all'atomismo, fraintende Democrito, dal momento che vorrebbe vedervi un finalismo (quello *suo*, di Aristotele) che proprio non poteva essere presente nel filosofo di Abdera (= Democrito avrebbe lasciato indeterminato il movimento senza indicarne la causa; ricordo solo *Ph.* 252 a 32 – b 1 e *Cael.* 300 b 8-16). E alle critiche che Aristotele muove alla teoria del

---

[16]   Rimando a Salemme 2010, 66-72, e mi limito a ricordare Alfieri 1979[2], 97-108, Lowell 1972, Barnes 2011, 288-302. In effetti, qualcosa doveva risultare oscuro pure per gli antichi. Solo qualche breve cenno: Diogene Laerzio (9, 33 = 67 A 1 DK) riferisce che Leucippo parlava di "necessità", ma non precisava di che natura fosse; di rincalzo, Ippolito (*haer.* 1, 12, 2 = 67 A 10 DK) afferma che di tale "necessità" Leucippo non specifica la natura (τίς δ' ἂν εἴη ἡ ἀνάγκη, οὐ διώρισεν). Consistenti perplessità restano tuttora. A proposito di Democrito, ancora Diogene (9, 45 = 68 A 1 DK) dice che «ogni cosa si produce secondo necessità, dal momento che la causa della generazione di tutte le cose è il vortice, che egli chiama necessità». E prima del vortice, nel movimento atomico precosmico, quale e dove era la "necessità"?

[17]   Ad 'allentare' il rigore assoluto della "necessità" democritea ha provato, in maniera non del tutto persuasiva, Morel 2005.

moto atomico dei primi atomisti intende con ogni probabilità rispondere Epicuro[18].

Certissima, e netta, è la critica che Epicuro muove a Democrito. Non posso non rimandare a qualche passo più significativo. In περὶ φύσεως 34, 30, 9-15 Epicuro afferma che i primi atomisti hanno fatto cosa inutile nel porre come causa di tutto la necessità e il caso (τ[ὴ]ν ἀνάγκην καὶ ταὐτόματον). Diogene di Enoanda (54 II 3 ss. Sm.), epicureo rigoroso, accusa i democritei di non credere al moto libero degli atomi, con la conseguenza che tutto appare muoversi per necessità (cfr. 11, 12 κατ[ηναγκασμένως). Perentorio Epicuro in *Men.* 134, quando afferma che è preferibile credere ai miti degli dèi piuttosto che essere schiavi del destino dei fisici (τῇ τῶν φυσικῶν εἱμαρμένῃ)[19], e cioè della "necessità" democritea; gli dèi, infatti, si possono placare; il destino, invece, «ha implacabile necessità (ἀπαραίτητον... τὴν ἀνάγκην)». Il contesto della *Lettera a Meneceo* è etico, con risvolti estremamente problematici sulla *libera voluntas* della *mens* (che proprio non è il caso di affrontare[20]). Il concetto di "necessità" viene ancora da Epicuro irriso quando nega (*Pyth.* 90) che per la formazione necessaria (ἐξ ἀνάγκης) di un cosmo bastino un accozzo di materia e un vortice nel vuoto «come dice qualcuno di quelli chiamati fisici». Evidente l'allusione a Democrito e alla sua teoria che gli atomi si muovono in assoluta libertà, salvo assumere la forma di vortice quando devono formare un cosmo. Per Epicuro è sufficiente che si incontrino, per costituire quell'aggregato atomico che è il mondo, atomi di forme convenienti in convenienti posizioni, in un processo di selezione assolutamente spontanea, senza alcun vincolo di "necessità". A Epicuro interessa prima di ogni cosa che gli atomi, senza condizionamenti di alcun genere, siano del tutto liberi: di cadere nel vuoto (= il moto originario causato dal peso), di urtarsi (= il moto derivato, che a sua volta genera il "rimbalzo"), di declinare in tempi e luoghi indeterminati.

---

[18] Utile leggere O'Keefe 2005, 110-122; ma sulla componente aristotelica delle critiche di Epicuro al primo atomismo la bibliografia va assai dietro nel tempo. Era cosa che già Simplicio constatava (67 A 13 DK).

[19] Non nutrirei i dubbi di Furley 1967, 175 sul fatto che Epicuro, con l'espressione "destino dei fisici", si riferisca a Democrito (Furley penserebbe invece a Nausifane).

[20] Rimando, anche per l'ampia informazione, a Masi 2006.

Troppo recise sono le critiche che Epicuro muove a Democrito sul concetto di "necessità" per poi volerlo veder rispuntare in Lucrezio, fedelissimo al verbo di Epicuro. Come è noto, a più riprese Lucrezio parla di *foedera naturae* (esemplare 2, 294-307). Esiste, insomma, un 'accordo' tra le varie componenti atomiche, un accordo fondato sul caso e non sulla necessità, un "accordo di fatto" che avrebbe potuto esser diverso da quello che è, e che comunque è destinato, come ogni singolo aggregato, a perire. Grazie a questo accordo tanto casuale quanto fattuale viene a stabilirsi quella regolarità di fondo che fa 'funzionare' il cosmo[21], garantendo una sostanziale costanza nel manifestarsi dei fenomeni. Ben sa Lucrezio che una cosa sono i *foedera naturae* e altra sono i *fati foedera* (cfr. 2, 254)[22]: a spezzare le leggi inflessibili della "necessità" democritea è la teoria del *clinamen*[23], della deviazione atomica tanto certa quanto assolutamente imprevedibile, dal momento

---

[21]   Di grande rilievo il concetto di "limite". Chiarissimo, al riguardo, Lucrezio quando parla di *finita potestas* e di *alte terminus haerens* in 1, 595-596. Opportunamente Long 2006, 157-177, *passim*, insiste sull'importanza, nel sistema, dei *foedera naturae*; ma da leggere è pure De Lacy 1969.

[22]   La differenza è netta e evidente, ed è stata già sottolineata nel commento di Bailey. Di Cicerone vale la pena ricordare *fat.* 22 *Epicurus declinatione atomi vitari necessitatem fati putat*. Può sorprendere che, nel suo commento, Fowler 2002, 342 consideri *fati foedera* «a unique and unexpected phrase»; e aggiunge: «For the fatal chain that the *clinamen* breaks one might have expected *lex* or *ordo* to be used». Comprendo le perplessità di Fowler, ma mi sembra chiaro che qui Lucrezio, con *fati foedera*, abbia creato a bella posta un'affinità espressiva con *foedera naturae* proprio allo scopo di rendere più marcato il sostanziale contrasto tra i due concetti.

[23]   Impossibile, qui, dar conto della bibliografia sul *clinamen*, che per altro registra posizioni assai diverse tra loro. Certo è che, se non ci fosse il *clinamen*, gli atomi cadrebbero tutti verso il basso per il vuoto profondo (2, 221-222). Le aporie cui dà luogo la teoria della deviazione atomica furono rilevate sin dall'antichità. Mi limito a ricordare l'obiezione degli stoici registrata da Plutarco (*anim. procr.* 6, 1015 c = 281, 21-23 Us.): con il *clinamen* Epicuro «introduce un moto senza causa dal non essere». Ma sarebbe solo grazie al *sine causa*, come diceva Carneade (cfr. Cic. *fat.* 23), che, per l'autonomia dell'azione umana (non oggetto della nostra indagine), gli epicurei avrebbero potuto evitare di ricorrere al *motus sine causa* del *clinamen*, dal momento che la *libera voluntas* è assicurata dai moti volontari dell'animo. Il passo è oggetto di molte discussioni: cfr. almeno Sharples 1991-1993. Aggiungo per inciso che è altissimamente probabile che la teoria del *clinamen* si trovasse esposta in qualche sezione perduta dell'opera maggiore di Epicuro: nel XXV libro? A parte le indiscutibili testimonianze, si ricordi che la dottrina di Epicuro, a differenza di quella delle altre scuole, si tramandava incorrotta nei secoli, a guisa di dogma religioso.

che gli atomi declinano «in un punto dello spazio non determinato e in un tempo non determinato» (2, 218-219 ...*incerto tempore ferme / incertisque locis*; 293 *nec regione loci certa nec tempore certo*). Come si fa a affermare che Lucrezio, nel suo voler smontare i *fati foedera*, si riferisca, con Epicuro, alla "necessità" democritea? Un assurdo. Eppure è chiarissimo il passo (già richiamato) di Diogene di Enoanda (54 III 1-9): «c'è in effetti un libero movimento degli atomi che Democrito non è riuscito a scoprire, ma che Epicuro ha portato alla luce, un movimento di deviazione (καὶ ἐλευθέραν τινὰ ἐν ταῖς ἀτόμοις κείνησιν εἶναι... παρεγκλιτικὴν ὑπάρχουσαν), come risulta dai fenomeni».

Torniamo ora alla seconda prova che Lucrezio adduce per dimostrare l'esistenza di una pluralità di mondi nell'infinito dell'universo (vv. 1067-1076). Nella prima (vv. 1048-1066) – si è visto – Lucrezio pone in assoluto risalto l'opera del caso. Nella seconda (cfr. *praeterea* di v. 1067) afferma che, poste determinate condizioni, l'opera di aggregazione atomica *deve* attuarsi e giungere a compimento (v. 1069 ...*geri* debent *nimirum et confieri res*). È indubbio che sia in opera qui l'azione di una 'necessità', che però non può essere quella democritea, considerata l'accanita polemica di Epicuro proprio su questo punto della dottrina dei primi atomisti.

Poniamoci in maniera preliminare il quesito: può soccorrerci l'uso che fa Epicuro del termine "necessità" (ἀνάγκη)?

Nella *Lettera a Erodoto* (54, 1-3) egli afferma che tra le qualità degli atomi c'è ciò che per necessità (ἐξ ἀνάγκης) è congenito alla loro forma. Qui "necessità" vale semplicemente come constatazione che un atomo possiede una determinata forma e non altra (e dunque una determinata grandezza, un determinato peso): l'atomo, insomma, è così perché è così.

In *Hdt.* 76, 7-77 Epicuro, riguardo ai vari fenomeni dei corpi celesti, ribadisce che occorre escludere l'intervento di esseri superiori. E fin qui è tutto chiaro. Da dove, allora, provengono i loro moti regolari? In effetti, gli astri dovrebbero muoversi all'impazzata, dal momento che non solo non son mossi da qualcosa, ma neanche possiedono in se stessi il loro principio motore. La risposta è identica: essi si muovono così perché è così. C'è stata *all'origine* una formazione del nostro cosmo; all'origine le cose si son trovate a avere, dopo aver gli atomi sperimentato movimenti e combinazioni di ogni genere (di fondamentale rilievo 1, 1021-1036), una propria modalità di organizzazione (e poteva esser altra). E dunque i moti regolari dei corpi celesti derivano, per una sorta di necessità – per così dire – meccanica, da tale forma 'originaria' (cfr. *Hdt.* 77, 9-11).

In *Pyth.* 92, 7 ss. Epicuro torna sul moto degli astri, e ne individua la causa o nel moto vorticoso di tutto il cielo oppure nel moto vorticoso degli astri in un cielo immobile, ma comunque «secondo la necessità determinatasi all'inizio, alla genesi del cosmo quando essi si levarono nel cielo» (*Pyth.* 92, 9 – 93, 1). Ancora è ribadito il medesimo concetto: è confermata una 'necessità' derivante dalle modalità della costituzione originaria che, condizionata a sua volta dall'incontro del tutto fortuito degli atomi, avrebbe potuto benissimo esser diversa da quel che si trova a essere.

In conclusione, ἀνάγκη è ciò che regola un cosmo *dopo* che si è costituito. Il corrispondente dei *foedera naturae* di Lucrezio. Ma in nessun modo include che un cosmo si costituisca "per necessità"[24]. Ed è invece proprio questo che a noi interessa.

Ora, che cos'è che fa in modo che un mondo *sia* nell'universo di Epicuro e Lucrezio? Forse la "necessità" democritea? Certamente no. Ma neanche accettando un moto di atomi, per di più tutti alla stessa velocità (la ἰσοτάχεια, che fa in modo che gli atomi più pesanti non urtino i più leggeri), rigorosamente "all'ingiù" (= quelle "gocce di pioggia" che cadono verso il basso nel vuoto profondo di cui parla Lucrezio in 2, 221-222) avremmo mai un cosmo. Se gli atomi cadessero costantemente "dall'alto in basso"[25], secondo l'ipotesi base di Epicuro, mai verrebbero a formarsi aggregati né tanto meno si formerebbero "a poco a poco" (*Pyth.* 89, 7 κατὰ μικρόν) mondi 'ordinati', dotati cioè di ordine all'interno del loro 'funzionamento'. L'universo è solo *di norma* per-

---

[24] Silvestre 1985, 121-137 parla di «limitazione dei poteri di ἀνάγκη» in Epicuro rispetto a Democrito, dove ἀνάγκη è tuttavia pur sempre lo stato di fatto di un mondo così come è venuto a formarsi all'origine, ma non motiva il *perché* il cosmo stesso si sia formato (= il contenuto essenziale della seconda prova lucreziana in esame). Dal canto suo, Morel 2013 (che riprende alcune sue conclusioni presenti in Morel 2000, 45-92, riguardanti sopra tutto la sfera etica) parla di «desacralizzazione della necessità»: alla necessità assoluta di Democrito subentra in Epicuro una "necessità" che deve fare i conti con la fortuna (o caso) e con "ciò che è in nostro potere" (τὸ παρ' ἡμᾶς di Epicuro, *Men.* 133, 7). Ma, anche per Morel, il discorso varrebbe solo dopo che un mondo si sia formato.

[25] Su "alto e basso" nel sistema epicureo rimando a Salemme 2010, 62-66, con rinvii bibliografici.

pendicolare[26]. In effetti, la continua declinazione atomica neutralizza, per così dire, almeno in grandissima parte, il moto all'ingiù e, paradossalmente, rende l'universo epicureo-lucreziano, in apparenza, molto simile ai moti atomici precosmici dell'universo democriteo, ove gli atomi volteggiano in tutte le direzioni. Ma con una differenza sostanziale: il moto democriteo è del tutto disordinato, che non spiega come dal disordine si possa passare all'ordine, laddove nell'universo epicureo, ove il moto di base resta all'ingiù, esiste una selezione spontanea tra gli atomi che si uniscono tra loro secondo la reciproca 'compatibilità' (= quando le loro differenze di figura e di grandezza vengono a trovarsi complementari), una selezione che è principio di ordine.

Se diciamo che il moto all'ingiù è il moto di base, non vogliamo dire che, cronologicamente, il moto verso il basso venga *prima* della declinazione atomica: si tratta di una priorità esclusivamente *logica*[27]. Perché postulare un tempo anteriore alle collisioni degli atomi? Una eventuale momentanea sospensione delle collisioni avrebbe ripristinato l'originario moto parallelo all'ingiù.

Ora, dal momento che atomi e vuoto sono eterni, non esiste un principio di movimento (*Hdt.* 44, 5-6). Il mondo si forma per l'incontro di atomi adatti, senza finalità alcuna; ma gli aggregati, una volta configuratisi grazie alla selezione spontanea, tendono a presentarsi in modo permanente e ripetitivo, ciò che noi chiamiamo "regolarità dei fenomeni". E dunque l'ordine nel cosmo è spiegato.

A noi però preme chiarire un altro tipo di 'necessità': per quale motivo, poste determinate condizioni, le cose "devono" (*debent*) formarsi? Da escludere – è ovvio – ogni necessità che trascenda gli atomi stessi, oltre che ogni tipo di necessità che sia loro intrinseca (di tipo democriteo). Per certo, il *clinamen* resta, in sé, soltanto *possibile*, e per di più in tempi e luoghi indeterminati. E tuttavia è in forza del *clinamen* che si formano le cose, e se si obietta che il *clinamen* è pura possibilità, resta che *di fatto* la declinazione, pur libera da ogni condizionamento causale, non solo è *ab aeterno*, ma è connaturata all'atomo (il *clinamen*, alla pari del peso, è causa interna di movimento

---

[26] Come è noto, di universo 'perpendicolare' a proposito della cosmologia epicurea ha parlato DeWitt 1954, 168 (ma per 'perpendicolare' cfr. κατὰ στάθμην di 280 Us.).

[27] Concordo in questo con Rist 1978, 53-54. E d'altronde cfr. O'Keefe 2005, 120.

per gli atomi). Le cose (e i cosmi nell'universo infinito) *devono* formarsi grazie all'imprevedibile *clinamen* perché solo il *clinamen* costituisce la modalità – l'unica! – tramite la quale le cose *possono* formarsi. Con ciò viene a infrangersi la causalità democritea (i *fati foedera*) dal momento che gli atomi, con la declinazione, danno inizio a un nuovo movimento (cfr. 2, 253-254 *...declinando faciunt primordia motus / principium quoddam*). E d'altra parte senza nuovi movimenti *non può* costituirsi alcunché. È la continua infrazione del 'necessario' moto verso il basso (necessario perché tale è la natura stessa dell'atomo, determinato dal suo peso) a garantire la formazione delle cose[28]. E l'infrazione stessa è, a suo modo, 'necessaria', pur se assolutamente indeterminata. Di ciò sembra essersi reso conto Cicerone che, al termine di quel che ci resta del *De fato* (48), scrive che, se gli atomi si muovono, per legge naturale e necessaria, a causa del loro peso, è pure necessario che alcuni atomi, o tutti, per legge naturale declinino[29]. Il che vale a dire che, se necessario è il moto di caduta verso il basso, necessario è altresì il moto (del tutto aleatorio, aggiungo) di deviazione.

Resta, certo, la possibilità che gli atomi, deviando e urtandosi, non diano origine a niente, ma è una possibilità teorica, giacché si sa che, dopo anche lunghissimi esperimenti, riescono di fatto, provando e riprovando, a conciliare le reciproche compatibilità e, di conseguenza, a formare aggregati. E allora anche il *debent* di v. 1069 deve essere inteso in senso 'fattuale': è un dato di fatto, con esclusione di ogni determinismo. Solo così si può affermare ciò che in apparenza è un paradosso: ciò che è di per sé *casuale* (la declinazione atomica) viene a essere condizione *necessaria* per la costituzione di un cosmo.

---

[28] Sui moti all'interno dei composti, bene Fowler 2002, 308: «Within normal compounds the effect of some atoms swerving is swamped by the regular movements of the others».

[29] *Nam si atomis, ut gravitate ferantur, tributum est necessitate naturae, quod omne pondus nulla re impediente moveatur et feratur necesse est, illud quoque necesse est, declinare, quibusdam atomis vel, si volunt, omnibus naturaliter...* (cfr. Maso 2014, 179).

RIFERIMENTI BIBLIOGRAFICI

- Albert 1897 = Georg Albert, *Einige Conjecturen zu Lukrez*, «Philologus» 56, 245-252.

- Alfieri 1979² = Vittorio Enzo Alfieri, *Atomos Idea. L'origine del concetto dell'atomo nel pensiero greco*, Galatina, Congedo (Firenze, Le Monnier 1953¹).

- Annas 1993 = Julia Annas, *Epicurus on Agency*, in *Passions and Perceptions. Studies in Hellenistic Philosophy of Mind*, edited by Jacques Brunschwig and Martha C. Nussbaum, Cambridge, Cambridge University Press, 53-71.

- Arragon 1961= R. F. Arragon, *Poetic Art as a Philosophic Medium for Lucretius*, «Essays in Criticism» 11, 371-389 (trad. ital. parziale in Perelli 1977, 67-75).

- Arrighetti 1971 = Graziano Arrighetti, *L'opera 'Sulla natura' di Epicuro*, «Cronache Ercolanesi» 1, 45-56.

- Arrighetti 1973² = Epicuro, *Opere*, a cura di Graziano Arrighetti, Torino, Einaudi.

- Asmis 1984 = Elizabeth Asmis, *Epicurus' Scientific Method*, Ithaca – London, Cornell University Press.

- Asmis 1990 = Elizabeth Asmis, *Epicurus on the Swerve and Voluntary Actions*, «Oxford Studies in Ancient Philosophy» 8, 275-291.

- Asmis 2009 = Elizabeth Asmis, *Epicurean empiricism*, in *The Cambridge Companion to Epicureanism*, edited by James Warren, Cambridge, Cambridge University Press, 84-104.

– Bailey 1922[2] = *Lucreti De rerum natura libri sex*, recognovit bre-
vique adnotatione critica instruxit Cyrillus Bailey, Oxonii, e Typographeo Clarendoniano (1900[1]).

– Bailey 1926 = Epicurus, *The Extant Remains*, with short critical apparatus, translation and notes, by Cyril Bailey, Oxford, Clarendon
Press (= Hildesheim – Zürich – New York, Olms 1989).

– Bailey 1928 = Cyril Bailey, *The Greek Atomists and Epicurus*,
Oxford, Clarendon Press (= New York, Russel & Russel 1964).

– Bailey 1947 I, II, III = *Titi Lucreti Cari De rerum natura libri sex*,
edited with Prolegomena, Critical Apparatus, Translation and Commentary by Cyril Bailey, Oxford, Clarendon Press (= 1972).

– Baran – Chisleag 1968 = Neculai V. Baran et Maria Gh. Chisleag,
Éléments chromatiques chez Lucrèce, «Revue des études latines»
46, 145-169.

– Barigazzi 1959 = Adelmo Barigazzi, *Il concetto del tempo nella fisica atomistica*, in *Epicurea in memoriam Hectoris Bignone. Miscel-
lanea philologica*, Genova, Istituto di Filologia Classica, Università
di Genova, 29-59.

– Barnes 2011 = Jonathan Barnes, *Method and Metaphysics. Essays in
Ancient Philosophy*, I, Oxford, Oxford University Press.

– Barwick 1943 = Karl Barwick, *Kompositionsprobleme im 5. Buch
des Lucrez*, «Philologus» 95, 193-229.

– Bennet 1914 = Charles Edwin Bennet, *Syntax of early Latin*, II,
Boston, Allyn and Bacon.

– Bergk 1884 = *Kleine philologische Schriften* von Theodor Bergk,
hrsg. von Rudolf Peppmüller, I, Halle a. S., Verlag der Buchhand-
lung des Waisenhauses, 455-473 (= «Neue Jahrbücher für Philologie
und Pädagogik» 67, 1853, 315-330 [rec. a Lachmann e Bernays]).

– Bergson 2001 = Henry Bergson, *Lucrezio*, con un saggio di Jeanne
Hersch, a cura di Riccardo De Benedetti, introduzione di Laura Bo-
ella, trad. ital., Milano, Medusa (Paris, Delagrave 1883).

– Bernays 1852 = *T. Lucreti Cari De rerum natura libri sex*, recognovit Iacobus Bernaysius (Jacob Bernays), Lipsiae, Teubner.

- Berns 1976 = Gisela Berns, *Time and Nature in Lucretius' «De rerum natura»*, «Hermes» 104, 477-492.

- Beye 1963 = Charles R. Beye, *Lucretius and Progress*, «Classical Journal» 58, 160-169 (trad. ital. in Perelli 1977, 122-133).

- Bignone 1945 = Ettore Bignone, *Storia della letteratura latina*, II, Firenze, Sansoni, 134-342.

- Bignone 2007 = Ettore Bignone, *L'Aristotele perduto e la formazione filosofica di Epicuro*, presentazione di Vittorio Enzo Alfieri, nota bio-bibliografica e aggiornamento editoriale di Giuseppe Girgenti, Milano, Bompiani (Firenze, La Nuova Italia 1936[1]).

- Bockemüller 1874 I, II = *T. Lucreti Cari De rerum natura libri sex*, redigirt und erklärt von Friedrich Bockemüller, Stade, Steudel (i due volumi in unica edizione: I [libri I-III], II [libri IV-VI]).

- Bollack 1978 = Mayotte Bollack, *La raison de Lucrèce. Constitution d'une poétique philosophique avec une essai d'interprétation de la critique lucrétienne*, Paris, Les Editions de Minuit.

- Bollack 1983 = Jean et Mayotte Bollack, *Temps, comme devenir (Lucrèce I 464-482)*, in *ΣΥΖΗΤΗΣΙΣ. Studi sull'epicureismo greco e romano offerti a Marcello Gigante*, *Contributi, Napoli, Macchiaroli, 309-327.

- Borle 1962 = Jean-Pierre Borle, *Progrès ou déclin de l'humanité? La conception de Lucrèce (De rerum Natura, V 801-1457)*, «Museum Helveticum» 19, 162-176.

- Bourne 1956 = Frank C. Bourne, *Military Arts and Lucretius' Madness*, «Classical Bulletin» 33, 3.

- Boyancé 1970 = Pierre Boyancé, *Lucrezio e l'epicureismo*, edizione italiana a cura di Alberto Grilli, Brescia (Paris, Presses Universitaires de France 1963).

- Brieger 1884 = Adolph Brieger, *Die Urbewegung der Atome und die Weltentstehung bei Leukipp und Demokritos*, Halle.

- Brieger 1894 = *T. Lucreti Cari De rerum natura libri sex*, edidit Adolphus Brieger, Lipsiae, Teubner.

- Bright 1971 = David F. Bright, *The Plague and the Structure of* De rerum natura, «Latomus» 30, 607-632.

- Brown 1992 = Shelby Brown, *Death as Decoration. Scenes from the Arena on Roman Domestic Mosaics*, in *Pornography and Representation in Greece and Rome*, edited by Amy Richlin, Oxford, Oxford University Press, 180-211.

- Brown 1997 = Lucretius, *De Rerum Natura III*, with an Introduction, Text, Translation and Commentary, edited by P. Michael Brown, Warminster, Aris & Phillips.

- Bruno 1872 = [Pasquale] Bruno, *Bemerkungen zu einigen Stellen des Lucretius*, «Jahresbericht der Realschule erster Ordnung in Harburg», Harburg, Hergerödersche Buchdruckerei.

- Büchner 1936 = Karl Büchner, *Beobachtungen über Vers- und Gedankengang bei Lukrez*, Berlin, Weidmann.

- Büchner 1956 = Karl Büchner, *Präludien zu einer Lukrezausgaben*, «Hermes» 84, 198-233 (= K. B., *Studien zur römischen Literatur*, I, *Lukrez und Vorklassik*, Wiesbaden, Steiner 1964, 121-160).

- Büchner 1966 = *T. Lucreti Cari De rerum natura*, edidit Carolus Büchner, Wiesbaden, Franz Steiner Verlag.

- Butterfield 2008a = David Butterfield, *Emendations on the fifth book of Lucretius*, «Materiali e discussioni per l'analisi dei testi classici» 60, 177-189.

- Butterfield 2008b = David Butterfield, *Lucretiana nonnulla*, «Exemplaria classica» 12, 3-23.

- Butterfield 2009 = David Butterfield, *Emendations on the Fourth Book of Lucretius*, «Wiener Studien» 122, 109-119.

- Butterfield 2014 = David Butterfield, Lucretius auctus? *The Question of Interpolation in* De rerum natura, in *Fakes and Forgers of Classical Literature*. Ergo decipiatur!, edited by Javier Martínez, Leiden – Boston, Brill, 15-42.

- Catrein 2003 = Christoph Catrein, *Vertausche Sinne. Untersuchungen zur Synästesie in der römischen Dichtung*, München – Leipzig, Saur.

– Caujolle-Zaslawsky 1980 = Françoise Caujolle-Zaslawsky, *Le temps épicurien est-il atomique?*, «Études philosophiques» 3, 285-306.

– Christ 1855 = Gulielmus Christ, *Quaestiones Lucretianae*, Monachii, Libraria Regia Scholastica.

– Classen 1968 = Carl Joachim Classen, *Poetry and Rhetoric in Lucretius*, «Transactions of American Philological Association» 99, 77-118 (= con *Addenda* in Classen 1986, 331-373).

– Classen 1986 = *Probleme der Lukrezforschung*, hrsg. von Carl Joachim Classen, Hildesheim – Zürich – New York, Olms.

– Clausen 1991 = Wendell Clausen, *Three Notes on Lucretius*, «Classical Quarterly» n. s. 41, 544-546.

– Clay 1983 = Diskin Clay, *Lucretius and Epicurus*, Ithaca and London, Cornell University Press.

– Clay 1996 = Diskin Clay, *An Anatomy of Lucretian Metaphor*, in *Epicureismo greco e romano*, a cura di Gabriele Giannantoni e Marcello Gigante, II, Napoli, Bibliopolis, 779-793 (= D. C., *Paradosis and Survival: Three Chapters in the History of Epicurean Philosophy*, Ann Arbor, Mich., University of Michigan Press 1998, 161-173).

– Colin 1954 = Jean Colin, *Les sénateurs et la mère des dieux aux Megalensia: Lucrèce, IV, 79*, «Athenaeum» n. s. 32, 346-355.

– Commager 1957 = Henri Steele Jr. Commager, *Lucretius' Interpretation of the Plague*, «Harvard Studies in Classical Philology» 62, 105-118 (= Gale 2007, 182-198; trad. ital. in Perelli 1977, 140-151).

– Conington – Nettleship 1883[3] = *The Works of Virgil*, with a Commentary of John Conington and Henry Nettleship, III, London, Whittaker (= Hildesheim – New York, Olms 1979).

– Costa 1984 = Lucretius, *De rerum natura V*, edited with Introduction and Commentary by Charles Desmond N. Costa, Oxford, Clarendon Press.

– Courtney 2006 = Edward Courtney, *Lucretius and others on animals in warfare*, «Museum Helveticum» 63, 152-153.

- Craik 2001 = Elizabeth M. Craik, *Thucydides on the Plague: Physiology of Flux and Fixation*, «Classical Quarterly» n. s. 51, 102-108.

- Cucchiarelli 1994 = Andrea Cucchiarelli, *Lucrezio, de rer. nat. IV 984:* voluntas o voluptas*? Una difficoltà testuale e l'interpretazione epicureo-lucreziana del fenomeno onirico (Parte prima)*, «Studi italiani di filologia classica» III s., 12, 50-102.

- D'Anna 1967 = *M. Pacuvii Fragmenta edidit* Ioannes D'Anna, Roma, In aedibus Athenaei.

- De Grummond 1982 = William W. De Grummond, *On the Interpretation of* De rerum natura *V 1308-49*, «Atene e Roma» n. s. 28, 50-56.

- De Lacy 1969 = Phillip De Lacy, *Limit and Variation in the Epicurean Philosophy*, «Phoenix» 23, 104-113.

- Delz 1998 = Josef Delz, *Zu lateinischen Dichtern*, «Museum Helveticum» 55, 60-63.

- Deufert 1996 = Marcus Deufert, *Pseudo-Lukrezisches im Lukrez. Die unechten Verse in Lukrezens "De rerum natura"*, Berlin – New York, De Gruyter.

- Deufert 2018 = *Kritischer Kommentar zu Lukrezens* De rerum natura, von Marcus Deufert, Berlin – Boston, De Gruyter.

- DeWitt 1954 = Norman Wentworth DeWitt, *Epicurus and his Philosophy*, Minneapolis, University of Minnesota Press.

- Diano 1974 = Carlo Diano, *Scritti epicurei*, Firenze, Olschki.

- Diels 1920 = Hermann Diels, *Lukezstudien II und III*, «Sitzungsberichte der preussischer Akademie der Wissenschaften, philosophisch-historische Klasse», 43, 2-18 (= Diels 1969, 340-356).

- Diels 1921 = Hermann Diels, *Lukrezstudien IV*, «Sitzungsberichte der preussischer Akademie der Wissenschaften, philosophisch-historische Klasse», 44, 237-244 (= Diels 1969, 357-364).

- Diels 1923 = *T. Lucreti Cari De rerum natura libri sex*, recensuit, emendavit, supplevit Hermannus Diels, I, Berolini, Weidmann (trad. tedesca del poema nel vol. II, 1924).

– Diels 1969 = Hermann Diels, *Kleine Schriften zur Geschichte der antiken Philosophie*, hrsg. von Walter Burkert, Hildesheim, Olms, 1969, 357-364).

– Diggle – Goodyear 1972 I, II, III = *The Classical Papers of Alfred Edward Housman*, collected and edited by James Diggle & Francis Richard David Goodyear, Cambridge, Cambridge University Press.

– Dudley 1965 = *Lucretius*, edited by Donald R. Dudley, London, Routledge & Kegan Paul.

– Eichstädt 1801 = *T. Lucreti Cari De rerum natura libri sex*, edidit Heinrich Carl Abraham Eichstädt, I, Lipsiae, Cnobloch.

– Elder 1954 = John Petersen Elder, *Lucretius 1. 1-49*, «Transactions of the American Philological Association» 85, 88-120.

– Ellis 1869 = Robinson Ellis, *On Lucretius, Book VI*, «Journal of Philology» 2, 219-228.

– Ellis 1871 = Robinson Ellis, *On Lucretius, Book VI*, «Journal of Philology» 3, 260-276.

– Englert 1987 = Walter G. Englert, *Epicurus on the Swerve and Voluntary Action*, Atlanta, Scholar Press.

– Ernout 1962 I; 1964 II = Lucrèce, *De la nature*, texte établi et traduit par Alfred Ernout, I (onzième tirage); II (nouvelle édition revue et corrigée), Paris, Les Belles Lettres (1920[1]; edizione più volte ripubblicata con revisioni).

– Ernout – Robin 1962[2] I, II, III = Lucrèce, *De rerum natura*, commentaire exégétique et critique par Alfred Ernout et Léon Robin, Paris, Les Belles Lettres (1925-1928[1]).

– Faber 1662 = *Titi Lucretii Cari De rerum natura libri sex*. Additae sunt conjecturae et emendationes Tanaquilli Fabri [Tanneguy Lefèvre] cum notulis perpetuis, Salmurii.

– Fallot 1977 = Jean Fallot, *Il piacere e la morte nella filosofia di Epicuro. La liberazione epicurea*, con presentazione di Sebastiano Timpanaro, trad. ital., Torino (ampliata rispetto a Paris 1951).

– Fantasia 2003 = Tucidide, *La guerra del Peloponneso*, libro II, testo, traduzione e commento con saggio introduttivo a cura di Ugo Fantasia, Pisa, ETS.

– Farrington 1981[3] = Benjamin Farrington, *Scienza e politica nel mondo antico. Lavoro intellettuale e lavoro manuale nell'antica Grecia*, trad. ital., Milano, Feltrinelli (London, Allen & Unwin 1946 e London, Watts 1947).

– Feeney 1978 = Denis C. Feeney, *Wild Beasts in the* De rerum natura, «Prudentia» 10, 15-22.

– Fellin – Barigazzi 1976[2] = *La natura* di T. Lucrezio Caro, a cura di Armando Fellin, rivista da Adelmo Barigazzi, Torino, UTET.

– Ferrarino 1941-1942 = Pietro Ferrarino, *«Cumque» e i composti di «que»*, «Memorie della R. Accademia delle Scienze dell'Istituto di Bologna», Classe di scienze morali, IV s., 4, 3-242.

– Ferrarino 1972 = Pietro Ferrarino, *La peste nell'Attica (*ad summam summai totius omnem*, Lucr. VI 679)*, «Giornale italiano di filologia» 3, 224-243 (= P. F., *Scritti scelti*, Firenze, Olschki 1986, 362-381).

– Flores 2009 = Titus Lucretius Carus, *De rerum natura*, edizione critica con Introduzione e Versione a cura di Enrico Flores, III (libri V-VI), Napoli, Bibliopolis.

– Forbiger 1828 = *T. Lucretii Cari De rerum natura libri sex*. Ad optimorum librorum fidem edidit perpetuam annotationem criticam grammaticam et exegeticam adiecit Albertus Forbiger, Lipsiae, Teubner.

– Foster 2009 = Edith Foster, *The Rhetoric of Materials: Thucydides and Lucretius*, «American Journal of Philology» 130, 367-399.

– Foster 2011 = Edith Foster, *The Political Aims of Lucretius' Translation of Thucydides*, in *Complicating the History of Western Translation: the Ancient Mediterranean in Perspective*, edited by Siobhán McElduft and Enrica Sciarrino, Manchester, St. Jerome Publ., 88-100.

– Fowler 2002 = Don Fowler, *Lucretius on Atomic Motion. A Commentary on Lucretius* De rerum natura *Book Two, Lines 1-332*, prepared for publication by Peta G. Fowler with help from friends, Oxford, Oxford University Press.

- Fowler 2007 = Peta Fowler, *Lucretian Conclusions*, in Gale 2007, 199-233 (= *Classical Closure. Reading the End in Greek and Latin Literature*, edited by Deborah H. Roberts, Francis M. Dunn and Don Fowler, Princeton, Princeton University Press, 1997, 112-138).

- Fratantuono 2015 = Lee Fratantuono, *A Reading of Lucretius'* De Rerum Natura, Lanham – Boulder – New York – London, Lexington Books.

- Frerichs 1892 = Heinrich Frerichs, *Quaestiones Lucretianae*, «Programm des Grossherzoglichen Gymnasiums zu Oldenburg», Oldenburg, Stalling.

- Furley 1966 = David J. Furley, *Lucretius and the Stoics*, «Bulletin of the Institute of Classical Studies» 13, 13-33 (= Furley 1989, 183-205 = Classen 1986, 75-96).

- Furley 1967 = David J. Furley, *Two Studies in the Greek Atomists*, Princeton, N. J., Princeton University Press.

- Furley 1986 = David Furley, *The Cosmological Crisis in Classical Antiquity*, «Proceedings of the Boston Area Colloquium in Ancient Philosophy» 2, 1-19 (= Furley 1989, 223-235).

- Furley 1989 = David Furley, *Cosmic Problems. Essays on Greek and Roman Philosophy of Nature*, Cambridge, Cambridge University Press.

- Gale 1994 = Monica R. Gale, *Myth and poetry in Lucretius*, Cambridge, Cambridge University Press.

- Gale 2007 = *Oxford Readings in Classical Studies. Lucretius*, edited by Monica R. Gale, Oxford, Oxford University Press.

- Gale 2009 = Lucretius, *De rerum natura V*, edited with translation and commentary by Monica R. Gale, Oxford, Oxbow Books.

- Garani 2007 = Myrto Garani, *Empedocles* Redivivus. *Poetry and Analogy in Lucretius*, New York, Routledge.

– Georges 2002[4] = *Dizionario enciclopedico latino – italiano* di Karl Ernst Georges e Ferruccio Calonghi, Torino, Rosenberg & Sellier.

– Giancotti 1960 = Francesco Giancotti, *L'ottimismo relativo nel* De rerum natura *di Lucrezio*, Torino, Loescher.

– Giancotti 2006[6] = Lucrezio, *La natura*, Introduzione, testo criticamente riveduto, traduzione e commento di Francesco Giancotti, Milano, Garzanti.

– Giancotti 2009 = Francesco Giancotti, *Per l'interpretazione di Lucrezio in proseguimento di discussioni con Sebastiano Timpanaro*, «Athenaeum» 97, 5-29.

– Giri 1902 = Giacomo Giri, *Alcuni luoghi controversi del quinto libro di Lucrezio*, «Rivista di filologia e d'istruzione classica» 30, 1902, 209-234.

– Giussani 1896-1898 I, II, III, IV = *T. Lucreti Cari De rerum natura libri sex*, revisione del testo, commento e studi introduttivi di Carlo Giussani, Torino, Chiantore 1896-1898 (I [*Studi lucreziani*], 1896; II [libri I e II], 1896; III [libri III e IV], 1897; IV [libri V e VI], 1898) = New York – London 1980.

– Giussani 1959[3] = Lucrezio, *De rerum natura*, libro V, commento e note di Carlo Giussani e Ettore Stampini, terza edizione aggiornata da Vittorio D'Agostino, Torino, Loescher.

– Godwin 1986 = Lucretius, *De rerum natura IV*, edited with translation and commentary by John Godwin, Warminster, Aris & Phillips.

– Godwin 1991 = Lucretius, *De Rerum Natura VI*, edited with translation and commentary by John Godwin, Warminster, Aris & Phillips.

– Goebel 1857 = Eduardus Goebel, *Quaestiones Lucretianae criticae*, Salisburgi, Formis typographiae Duyleanae.

– Goodyear 1965 = Francis Richard David Goodyear, «Classical Review» 15, 49-51 (rec. a Büchner 1964: cfr. qui Büchner 1956).

– Grasberger 1856 = Lorenz Grasberger, *De Lucretii Cari carmine*, Monachii, Weiss.

– Gros 1977 = Vitruvio, *De architectura*, a cura di Pierre Gros, traduzione e commento di Antonio Corso ed Elisa Romano, I, Torino,
Einaudi.

– Haber 1956 = Tom Burns Haber, *New Housman Lucretiana*, «Classical Journal» 51, 386-390.

– Harrison 1991 = Vergil, *Aeneid* 10, with Introduction, Translation,
and Commentary by Stephen John Harrison, Oxford, Clarendon
Press.

– Heinze 1897 = Titus Lucretius Carus, *De rerum natura Buch 3.*,
erklärt von Richard Heinze, Leipzig, Teubner.

– Höfer 1872 = Ferdinand Höfer, *Zur Lehre von der Sinneswahrneh-
mung im 4. Buche des Lucrez*, Zu der öffentlichen Prüfung des Gymnasiums zu Seehausen in der Altmark, Stendal, Franzen & Grosse.

– Hofmann – Szantyr 1965 = *Lateinische Syntax und Stilistik* von Jo-
hann Baptist Hofmann, neuarbeitet von Anton Szantyr, München,
Beck.

– Holladay – Poole 1979 = A. James Holladay – J. C. F. Poole, *Thucydides and the Plague of Athens*, «Classical Quarterly» n. s. 29,
282-300.

– Housman 1897 = Alfred Edward Housman, *Lucretiana*, «Journal of
Philology» 25, 226-249 (= Diggle – Goodyear 1972 II, 423-441).

– Housman 1900 = Alfred Edward Housman, *Elucidations of Latin
Poets. II*, «Classical Review» 14, 257-259 (= Diggle – Goodyear
1972 II, 519-521).

– Housman 1928 = Alfred Edward Housman, *The First Editor of Lucretius*, «Classical Review» 42, 122-123 (= Diggle – Goodyear 1972
III, 1153-1155).

– Howard 1961 = C. L. Howard, *Lucretiana*, «Classical Philology»
56, 145-159.

– Howard – Munro 1868 = Nathaniel P. Howard and Hugh Andrew
Johnstone Munro, *On Lucretius*, «Journal of Philology» 1, 113-145.

- Huby 1969 = Pamela M. Huby, *The Epicureans, Animals, and Free-will*, «Apeiron» III s., 1, 17-19.

- Isnardi Parente 1976 = Margherita Isnardi Parente, *XPONOΣ ΕΠΙΝΟΥΜΕΝΟΣ e ΧΡΟΝΟΣ ΟΥ ΝΟΟΥΜΕΝΟΣ in Epicuro, Pap. Herc. 1413*, «La parola del passato» 167, 168-175.
- Isnardi Parente 1983² = *Opere* di Epicuro, a cura di Margherita Isnardi Parente, Torino, UTET.

- Jackson 2013 = Giorgio Jackson, *Commento a Lucrezio* De rerum natura *libro V 1-280*, Roma – Pisa, Serra.
- Jope 1989 = James Jope, *The didactic unity and emotional import of book 6 of* De rerum natura, «Phoenix» 43, 16-34.

- Kannengiesser 1878 = Adolphus Kannengiesser, *De Lucretii versibus transponendis*, Gottingae, Huth.
- Kenney 1972 = Edward J. Kenney, *The Historical Imagination of Lucretius*, «Greece & Rome» n. s. 19, 12-24.
- Kenney 1981 = Lucretius, *De rerum natura, Book III*, edited by Edward J. Kenney, Cambridge, Cambridge University Press (= 1971).
- Kleve 1980 = Knut Kleve, *Id facit exiguum clinamen*, «Symbolae Osloenses» 55, 27-31.
- Kudlien 1971 = Ferdinand Kudlien, *Galens Urteil über die Thukydideische Pestbeschreibung*, «Episteme» 5, 132-133.

- Lachmann 1853² = *T. Lucreti Cari De rerum natura libri sex*, Carolus Lachmannus recensuit et emendavit, Berolini, Reimer (1850¹).
- Lachmann 1855² = *Caroli Lachmanni in T. Lucretii Cari De rerum natura libros Commentarius*, Berolini, Reimer (= New York & London, Garland 1979; 1850¹).

– Lambinus 1570[3] = *Titi Lucreti Cari De rerum natura libri VI*, a Dionysio Lambino [Denis Lambin] emendati, ... commentariis illustratis: nunc ab eodem recogniti, ... cum iisdem commentariis, plus quarta parte auctis, Lutetiae, apud Ioannem Benenatum (1563-1564[1]).

– Langen 1876 = Peter Langen, *Zu Lucretius*, «Philologus» 34, 28-39.

– La Penna 1995 = Antonio La Penna, *Da Lucrezio a Persio. Saggi, studi, note*, a cura di Mario Citroni, Emanuele Narducci, Alessandro Perutelli, Milano, Sansoni 32-48 (= *Gli animali come strumenti di guerra [Lucrezio V 1297-1349]*, in *Storia poesia e pensiero nel mondo antico. Studi in onore di Marcello Gigante*, Napoli, Bibliopolis 1994, 333-345).

– Laursen 1995 = Simon Laursen, *The Early Parts of Epicurus,* On Nature, *25th Book*, «Cronache Ercolanesi» 25, 5-109.

– Laursen 1997 = Simon Laursen, *The Later Parts of Epicurus,* On Nature, *25th Book*, «Cronache Ercolanesi» 27, 5-82.

– Lavery 1987 = Gerard B. Lavery, Hoc aevi quodcumquest*: Lucretius and Time*, «Latomus» 46, 720-729.

– Lenz 1937 = Christoph Lenz, *Die wiederholten Verse bei Lukrez*, Leipzig.

– Leonard – Smith 1942 = *T. Lucreti Cari De Rerum Natura libri sex*, edited with Introduction and Commentary by William Ellery Leonard – Stanley Barney Smith, Madison, The University of Wisconsin Press.

– Leszl 1989 = Walter Leszl, *Infinito e pluralità dei mondi in alcuni autori greci*, in *L'infinito dei greci e dei romani*, a cura di Aldo Ceresa-Gastaldo, Genova, Università di Genova, 49-85.

– Long 2006 = Arthur Anthony Long, *From Epicurus to Epictetus. Studies in Hellenistic and Roman Philosophy*, Oxford, Clarendon Press.

– Long – Sedley 1987 I, II = Arthur Anthony Long – David Neil Sedley, *The Hellenistic Philosophers*, I (*Translations of the principal sources with philosophical commentary*); II (*Greek and Latin texts with notes and bibliography*), Cambridge, Cambridge University Press.

– Lowell 1972 = Edmunds Lowell, *Chance, and Freedom in the Early Atomists*, «Phoenix» 26, 342-357.

– Luciani 2000 = Sabine Luciani, *L'éclair immobile dans la plaine, philosophie et poétique du temps chez Lucrèce*, Louvain – Paris, Peeters.

– Lück 1932 = Werner Lück, *Die Quellenfrage im 5. und 6. Buch des Lukrez*, Breslau, Eschenhagen.

– MacKay 1975 = Louis A. MacKay, *Conjectures on the Text of Lucretius*, «Classical Philology» 70, 270-271.

– Maguinness 1965 = William S. Maguinness, *The Language of Lucretius*, in Dudley 1965, 69-93.

– Martin 1963[5] = *T. Lucreti Cari De rerum natura libri sex*, quintum recensuit Joseph Martin, Lipsiae, Teubner (1934[1]).

– Masi 2005 = Francesca Guadalupe Masi, *La nozione epicurea di ΑΠΟΓΕΓΕΝΝΗΜΕΝΑ*, «Cronache Ercolanesi» 35, 27-51.

– Masi 2006 = Francesca Guadalupe Masi, *Epicuro e la filosofia della mente. Il XXV libro dell'opera* Sulla natura, Sankt Augustin, Academia Verlag.

– Maso 2014 = Cicerone, *Il fato*, introduzione, edizione, traduzione e commento di Stefano Maso, Roma, Carocci.

– McKay 1964 = Kenneth Leslie McKay, *Animals in War and ΙΣΟΝΟΜΙΑ*, «American Journal of Philology» 85, 124-135.

– Mercier 1974 = L. Mercier, *Essai d'interprétation de* steriskomenoi *et de la "Peste" d'Athènes*, «Bulletin de l'Association Guillaume Budé» 33, 223-226.

– Merrill 1906 = William Augustus Merrill, *Lucreti De rerum natura V 1308*, «Berliner Philologische Wochenschrift» 26, 253.

– Merrill 1907 = *Lucreti De rerum natura libri sex*, edidit William Augustus Merrill, New York – Cincinnati – Chicago, American Book Company.

– Merrill 1916 = William Augustus Merrill, *Criticism of the text of Lucretius with suggestions for its improvement, Part II, Books IV-VI*, «University of California Publication in Classical Philology» 3, 47-133 (= New York – London, Johnson Reprint Corporation 1971).

– Merrill 1917 = *Lucreti De rerum natura libri sex*, recognovit Guilelmus Augustus Merrill, Berkleiae, e Typographeo Universitatis.

– Meurig Davies 1946 = Evan Llewellyn Beresford Meurig Davies, *Emendations of Lucretius*, Oxford, privately printed.

– Meurig Davies 1949 = Evan Llewellyn Beresford Meurig Davies, *Notes on Lucretius, Ovid, and Lucan*, «Mnemosyne» IV s., 2, 72-78.

– Minadeo 1969 = Richard Minadeo, *The lyre of Science. Form and Meaning in Lucretius'De rerum natura*, Detroit, Mich., Wayne State University Press.

– Minyard 1985 = John D. Minyard, *Lucretius and the Late Republic: an Essay in Roman Intellectual History*, Leiden, Brill.

– Monet 2007 = Annick Monet, *La représentation du temps chez Epicure: lectures du P. Herc.1413*, in *Akten des 23. Internationalen Papyrologen-Kongress*, hrsg. von Bernhard Palme, Wien, Verlag der Österreichischen Akademie der Wissenschaften, 455-460.

– Morel 2000 = Pierre-Marie Morel, *Atome et nécessité. Démocrite, Épicure, Lucrèce*, Paris, Vrin.

– Morel 2002 = Pierre-Marie Morel, *Les ambiguïtés de la conception épicurienne du temps*, «Revue philosophique de la France et de l'étranger» 192, 195-211.

– Morel 2005 = Pierre-Marie Morel, *Democrito e il problema del determinismo. A proposito di Aristotele II 4*, in *La catena delle cause. Determinismo e antideterminismo nel pensiero antico e contemporaneo*, a cura di Carlo Natali e Stefano Maso, Amsterdam, Hakkert, 21-35.

- Morel 2013 = Pierre-Marie Morel, *Epicuro e la desacralizzazione della necessità*, in *Fate, Chance, and Fortune in Ancient Thought*, edited by Francesca Guadalupe Masi and Stefano Maso, Amsterdam, Hakkert, 159-165.

- Morgan 1994 = Thomas E. Morgan, *Plague or Poetry? Thucydides on the Epidemic at Athens*, «Transactions of the American Philological Association» 124, 197-209.

- Müller 1975 = *T. Lucreti Cari De rerum natura libri sex*. Conradus Müller recensuit et adnotavit, Zürich, Rohr.

- Müller 1959 = Gerhard Müller, *Die Problematik des Lucreztextes seit Lachmann*, «Philologus» 103, 53-86.

- Müller 1978 = Gerhard Müller, *Die Finalia der sechs Bücher des Lucrez*, in *Lucrèce*, Entretiens préparés et présidés par Olof Gigon, Fondation Hardt, XXIV, Vandoeuvres – Genève, 197-221 (trad. ingl. in Gale 2007, 234-254).

- Munro 1886[4] I, II, III = *Titi Lucreti Cari De rerum natura libri sex*, with a Translation and Notes by Hugh Andrew Johnstone Munro, Cambridge – London, Bell (= New York & London, Garland 1978; 1864[1]).

- Munro 1871 = Hugh Andrew Johnstone Munro, *Lucretius, Book VI*, «Journal of Philology» 3, 115-127.

- Murley 1947 = Clyde Murley, *Lucretius, De rerum natura, Viewed as Epic*, «Transactions of the American Philological Association» 78, 336-346.

- Mynors 1990 = Virgil, *Georgics*, edited with a Commentary by Roger A. B. Mynors, Oxford, Clarendon Press.

- Neck 1964 = Gisela Neck, *Das Problem der Zeit im Epikureismus*, Heidelberg, Philosophische Fakultät der Ruprecht-Karl-Universität in Heidelberg.

- Neumann 1875 = Fridericus Neumann, *De interpolationibus Lucretianis*, Halis Saxonum.

- O'Keefe 2005 = Tim O'Keefe, *Epicurus on Freedom*, Cambridge, Cambridge University Press.

- Onians 1928 = Richard Broxton Onians, *Lucretius V. 1341-9*, «Classical Review» 42, 215-217.

- Onians 1930 = Richard Broxton Onians, *Lucretius V. 1308-1340*, «Classical Review» 44, 169-170.

- Page 1953 = Denys Lionel Page, *Thucydides' Description of the Great Plague at Athens*, «Classical Quarterly» n. s. 3, 97-119.

- Parroni 2002 = Seneca, *Ricerche sulla natura*, a cura di Piergiorgio Parroni, Milano, Mondadori.

- Parry 1969 = Adam Parry, *The Language of Thucydides' Description of the Plague*, «Bulletin of the Institute of Classical Studies» 16, 106-118 (= A. P., *The Language of Achilles and Other Papers*, Oxford, Clarendon Press 1989, 156-176).

- Parry 1979 = Richard D. Parry, *The unique world of the* Timaeus, «Journal of the History of Philosophy» 17, 1-10.

- Pascal 1903 = Carlo Pascal, *Studii critici sul poema di Lucrezio*, Roma – Milano, Società Editrice Dante Alighieri.

- Perelli 1969 = Luciano Perelli, *Lucrezio poeta dell'angoscia*, Firenze, La Nuova Italia.

- Perelli 1977 = *Lucrezio. Letture critiche*, a cura di Luciano Perelli, Milano, Mursia.

- Pianezzola 1975 = Emilio Pianezzola, Haurio = ferio, perfodio. *Un calco omerico mediato dagli scolii*, in *Scritti in onore di † Carlo Diano*, Bologna, Pàtron, 311-323.

- Piazzi 2005 = *Lucrezio e i Presocratici. Un commento a* De rerum natura *1, 635-920*, a cura di Lisa Piazzi, Pisa, Edizioni della Normale.

- Pius 1511 = *In Carum Lucretium poetam commentarii a Ioanne Baptista Pio editi*, Bononiae, in ergasterio Hieronymi Baptistae de Benedictis.

- Polle 1867a = Friedrich Polle, *Zu Lucretius*, «Philologus» 25, 269-284.

- Polle 1867b = Friedrich Polle, *Die Lucrezlitteratur seit Lachmann und Bernays*, «Philologus» 26, 290-345.

- Pope 1949 = Stella R. Pope, *The Imagery of Lucretius*, «Greece and Rome» 18, 70-79.

- Postgate 1895 = John Percival Postgate, *Lucretiana*, «Journal of Philology» 24, 131-147.

- Postgate 1926 = John Percival Postgate, *New Light upon Lucretius*, «Bulletin of the John Rylands University Library of Manchester» 10, 134-149.

- Richter 1974 = Will Richter, *Textstudien zu Lukrez*, München, Beck.

- Ricoeur 1981 = Paul Ricoeur, *La metafora viva. Dalla retorica alla poetica: per un linguaggio di rivelazione*, trad. ital. Milano, Jaca Book (Paris, Editions du Seuil 1975).

- Rist 1978 = John M. Rist, *Introduzione a Epicuro*, trad. ital., Milano, Mursia (Cambridge, Cambridge University Press 1972).

- Ross Taylor 1952 = Lily Ross Taylor, *Lucretius and the Roman Theatre*, in *Studies in Honour of Gilbert Norwood*, edited by Mary E. White, Toronto, University of Toronto Press, 147-155.

- Rumpf 2003 = Lorenz Rumpf, *Naturerkenntnis und Naturerfahrung. Zur Reflexion epikureischer Theorie bei Lukrez*, München, Beck.

- Rusch 1882 = Paul Rusch, *De Posidonio Lucreti Cari auctore in carmine De Rerum Natura VI*, Gryphiswaldiae, Typis Frommanni.

- Salem 1997 = Jean Salem, *Lucrèce et l'éthique. La mort n'est rien pour nous*, Paris, Vrin.

- Salemme 1980 = Carmelo Salemme, *Strutture semiologiche nel* De Rerum Natura *di Lucrezio*, Napoli, Società Editrice Napoletana.

– Salemme 2009 = Carmelo Salemme, *Le possibilità del reale. Lucrezio,* De rerum natura *6, 96-534*, Napoli, Loffredo.

– Salemme 2010 = Carmelo Salemme, *Lucrezio e la formazione del mondo.* De rerum natura *5, 416-508*, Napoli, Loffredo.

– Salemme 2011 = Carmelo Salemme, *Infinito lucreziano.* De rerum natura *1, 951-1117*, Napoli, Loffredo.

– Sallmann 1962 = Klaus Sallmann, *Studien zum philosophischen Naturbegriff der Römer mit besonderer Berücksichtigung des Lukrez*, «Archiv für Begriffsgeschichte» 7, 140-325.

– Saylor 1972 = Charles F. Saylor, *Man, Animal, and the Bestial in Lucretius*, «Classical Journal» 67, 306-316.

– Scagliarini Corlàita 1990 = Daniela Scagliarini Corlàita, *s. v. teatro*, in *Enciclopedia Virgiliana*, V*, Roma, Istituto della Enciclopedia Italiana, 56-59.

– Schiesaro 1990 = Alessandro Schiesaro, *Simulacrum et imago. Gli argomenti analogici nel* De rerum natura, Pisa, Giardini.

– Schmid 1938 = Wolfgang Schmid, *Altes und Neues zu einer Lukrezfrage*, «Philologus» 93, 338-351 (= Classen 1986, 41-54).

– Schrijvers 1970 = Piet Herman Schrijvers, *Horror ac divina voluptas. Études sur la poétique et la poésie de Lucrèce*, Amsterdam, Hakkert.

– Sedley 1988 = David Sedley, *Epicurean Anti-Reductionism*, in *Matter and Metaphysics. Fourth Symposium Hellenisticum*, edited by Jonathan Barnes and Mario Mignucci, Napoli, Bibliopolis, 295-327.

– Sedley 1998 = David Sedley, *Lucretius and the Transformation of Greek Wisdom*, Cambridge, Cambridge University Press.

– Sedley 1999 = David Sedley, *Hellenistic physics and metaphysics*, in *The Cambridge History of Hellenistic Philosophy*, edited by Keimpe Algra, Jonathan Barnes, Jaap Mansfeld, Malcolm Schofield, Cambridge, Cambridge University Press, 355-411.

– Segal 1989 = Charles Segal, *Poetic Immortality and the Fear of Death: The Second Proem of the* De Rerum Natura, «Harvard Studies in Classical Philology» 92, 193-212.

– Segal 1998 = Charles Segal, *Lucrezio. Angoscia e morte nel «De Rerum Natura»*, Bologna, Il Mulino (Princeton, Princeton University Press 1990).

– Sharples 1991-1993 = Robert W. Sharples, *Epicurus, Carneades, and the Atomic Swerve*, «Bulletin of the Institute of Classical Studies» 38, 174-190.

– Shelton 1996 = Jo-Ann Shelton, *Lucretius on the Use and Abuse of Animals*, «Eranos» 94, 48-64.

– Silvestre 1985 = Maria Luisa Silvestre, *Democrito e Epicuro. Il senso di una polemica*, Napoli, Loffredo.

– Smith 1992 = Lucretius, *De rerum natura*, with an english translation by William Henry Denham Rouse, revised with new text, introduction, notes and index by Martin Ferguson Smith, Cambridge, Mass. – London, Harvard University Press.

– Steckel 1960 = Horst Steckel, *Epikurs Prinzip von Schmerzlosigkeit und Lust*, Dissertation Göttingen, München.

– Stoddard 1996 = Kate Stoddard, *Thucydides, Lucretius and the end of the* De Rerum Natura, «Maia» 48, 107-128.

– Stover 1999 = Timothy J. Stover, Placata posse omnia mente tueri: *"Demythologizing" the Plague in Lucretius*, «Latomus» 58, 69-76.

– Susemihl 1868 = Franz Susemihl – Adolf Brieger, *Bemerkungen zum dritte Buche des Lucretius*, «Philologus» 27, 28-57.

– Thomas 1988 = Virgil, *Georgics*, II, by Richard F. Thomas, Cambridge, Cambridge University Press.

– Townend 1965 = Gavin Townend, *Imagery in Lucretius*, in Dudley 1965, 95-114.

– Townend 1979 = Gavin B. Townend, *The Original Plan of Lucretius'* De Rerum Natura, «Classical Quarterly» n. s. 29, 101-111.

– Townend 1985 = Gavin B. Townend, «Classical Review» n. s. 35, 273-274 (rec. di Costa 1984).

– Traina 1970 = Alfonso Traina, *Vortit barbare. Le traduzioni poetiche da Livio Andronico a Cicerone*, Roma, Edizioni dell'Ateneo.

– Vahlen 1907 = Iohannes Vahlen, *Opuscula academica*, I, Lipsiae, Teubner (= Hildesheim, Olms 1967).

– Verde 2010 = Epicuro, *Epistola a Erodoto*, introduzione di Emidio Spinelli, traduzione e commento di Francesco Verde, Roma, Carocci.

– Verdière 1961 = Raoul Verdière, *Lucretiana*, «Eos» 51, 89-100.

– Viparelli 2001 = Valeria Viparelli, *Gli 'eventi' di Lucrezio (I, 449-482) e i 'casi' di Aristotele (*Top. *II 9 114a 27-40)*, in Michela Cennamo – Rosanna Sornicola – Luigi Spina – Valeria Viparelli, *Ricerche linguistiche tra antico e moderno*, a cura di Valeria Viparelli, Napoli, Liguori, 81-105.

– Wakefield 1813 I, II, III, IV = *T. Lucretii Cari De rerum natura libri sex*, ad exemplar Gilberti Wakefield, cum eiusdem notis, commentariis, indicibus, Glasguae, Duncan (precedente edizione: Londini, Hamilton 1796-1797).

– Warren 2004 = James Warren, *Ancient Atomists on the Plurality of Worlds*, «Classical Quarterly» 54, 354-365.

– Warren 2006 = James Warren, *Epicureans and the Present Past*, «Phronesis» 51, 362-387.

– Watt 1990 = William S. Watt, *Lucretiana*, «Museum Helveticum» 47, 121-127.

– Watt 2003 = William S. Watt, *Lucretiana*, «Proceedings of the Cambridge Philological Society» 49, 158-160.

– West 1994[2] = David West, *The Imagery and Poetry of Lucretius*, Norman, University of Oklahoma Press (Edinburgh, Edinburgh University Press 1969[1]).

– West 1975 = Stephanie R. West, *Problems with Lions: Lucretius and Plutarch*, «Philologus» 119, 150-151.

- Winton 1992 = Richard I. Winton, *Athens and the Plague. Beauty and the Beast (Thucydides, II, 35-54)*, «Mètis» 7, 201-208.

- Woltjer 1877 = Jan Woltjer, *Lucretii philosophia cum fontibus comparata*, Groningae, Noordhoff (= New York – London, Garland 1987).

INDICE DEGLI STUDIOSI CITATI

Volumi pubblicati

1. *Scienza antica in età moderna. Teoria e immagini*, a cura di Vanna Maraglino, 2012.
2. Stefania Santelia, *La* miranda fabula *dei* pii fratres *in* Aetna *603-645*, con una nota di Pierfrancesco Dellino, 2012.
3. Ambrogio di Milano, *De Nabuthae historia*, a cura di Stefania Palumbo, 2012.
4. Sidonio Apollinare, *Carme 16, Eucharisticon ad Faustum episcopum*, introduzione, traduzione e commento di Stefania Santelia, 2012.
5. *La Naturalis Historia di Plinio nella tradizione medievale e umanistica*, a cura di Vanna Maraglino, 2012.
6. Beda il Venerabile, *De natura rerum*, a cura di Elisa Tinelli, 2013.
7. Carmelo Salemme, *Saffo e la bellezza agonale*, 2013.
8. Claudio Claudiano, *Fescennina dicta Honorio Augusto et Mariae*, a cura di Ornella Fuoco, 2013.
9. Sabina Castellaneta, *Il seno svelato* ad misericordiam. *Esegesi e fortuna di un'immagine omerica*, 2013.
10. *Filologia e letteratura. Studi offerti a Carmelo Zilli*, a cura di Angelo Chielli e Leonardo Terrusi, 2014.
11. Erasmo da Rotterdam, *Panegyricus ad Philippum Austriae ducem*, a cura di Elisa Tinelli, 2014.
12. Nazario, *Panegirico in onore di Costantino*, a cura di Carmela Laudani, 2014.
13. Luca Ruggio, *Alla maniera dei comici. Aspetti del comico nella commedia umanistica*, 2015.
14. Anonimo, *Il Panegirico del 307 per Massimiano e Costantino*, a cura di Teresa Bucci, 2015.
15. *Riccio o volpe? Uno e molteplice nel pensiero degli antichi e dei moderni*, a cura di Vanna Maraglino, 2016.
16. Tito Livio, *Ab urbe condita liber XXVII*, a cura di Fabrizio Feraco, 2017.
17. Giuseppe Cascione, *La carta, il corpo, il conio. Spazio e corpo politico nel Rinascimento europeo*, 2017.
18. Carmelo Salemme, *Le "metamorfosi" del Sannazaro*, 2018.
19. *Classici e cinema. Il sangue e la stirpe*, a cura di Vanna Maraglino, 2018.
20. Flavio Merobaude, *Panegirico in prosa per Aezio*, a cura di Antonella Bruzzone, 2018.
21. Daniele Vittorio Piacente, *Lo schiavo nella disciplina del senatoconsulto Silaniano*, 2018.
22. Carmelo Salemme, *Contributi lucreziani*, 2020.

TIPOGRAFIA PAVONE SRLS - BARI